Chère lectrice,

Si vous pouviez choisir de tout recommencer à partir de zéro, le feriez-vous ?

Si demain, vous vous réveilliez, comme Jane, la mémoire vierge de tout passé, ne ressentiriez-vous pas le plus grand désarroi ?

Certes, l'avenir appartient à Jane, mais ce passé dont elle ne sait rien la tiraille. Comment être elle-même sans connaître son véritable nom ?

Comment se donner à l'être aimé, sans pouvoir lire au plus profond de son cœur ?

Pour Jane, rien ne serait plus difficile que de devoir renoncer à Clint Cooper, un homme tendre, sincère, qui ne demande qu'à la connaître. Mais il va pour cela lui falloir affronter son passé...

Tel est mon coup de cœur ce mois-ci dans votre collection Horizon... mais n'oubliez pas les autres romans de votre programme, qui vont vous entraîner dans un tourbillon d'émotions.

La responsable de collection

Un mari parfait

CARLA CASSIDY

Un mari parfait

COLLECTION HORIZON

*éditions*Harlequin

Cet ouvrage a été publié en langue anglaise
sous le titre :
WHAT IF I'M PREGNANT... ?

Traduction française de
FRANÇOISE HENRY

HARLEQUIN®

est une marque déposée du Groupe Harlequin
et Horizon® est une marque déposée d'Harlequin S.A.

Originally published by SILHOUETTE BOOKS,
division of Harlequin Enterprises Ltd.
Toronto, Canada

Toute représentation ou reproduction, par quelque procédé que ce soit, constituerait une contrefaçon sanctionnée par les articles 425 et suivants du Code pénal.
© 2003, Carla Bracale. © 2004, Traduction française : Harlequin S.A.
83-85, boulevard Vincent-Auriol, 75013 PARIS — Tél. : 01 42 16 63 63
Service Lectrices — Tél. : 01 45 82 47 47
ISBN 2-280-14366-6 — ISSN 0993-4456

Prologue

Dans sa salle de bains, Tess Carson sortit le test de grossesse de son sac. Ses doigts tremblaient en ouvrant la boîte pour en tirer matériel et instructions.

Elle lut rapidement ces dernières puis regarda son reflet dans le miroir. Ses yeux étaient gonflés des larmes versées le matin, et sur son visage pâli se reflétaient les tourments d'un cœur brisé.

Elle ne devait pas penser à ça, se dit-elle en relisant les instructions. Elle n'avait pas le droit de penser à *lui*.

Un mois plus tôt, elle ne rêvait que d'être enceinte et, pour parvenir à ses fins, elle avait choisi de recourir à l'insémination artificielle.

Un mois plus tôt, c'est-à-dire avant de le rencontrer, *lui*. Avant de tomber amoureuse et de se retrouver avec le cœur en miettes.

Elle relut une dernière fois les instructions. En trois minutes, le signe « plus » ou « moins » devait apparaître sur l'écran du test. « Plus » signifiait la réussite de l'intervention. « Moins »… son échec.

Simple. Evident. Sauf que depuis l'opération, de tels changements étaient intervenus dans la vie de Tess qu'elle ne savait plus très bien si elle souhaitait être enceinte.

Il était toutefois inutile de tergiverser plus longtemps, se dit-elle.

Après avoir procédé aux préparatifs requis, elle posa le test sur la tablette du lavabo et se prépara à attendre trois minutes.

— Seigneur ! murmura-t-elle pour elle-même. Et si je suis enceinte ?

1.

Quatorze jours.

Tess Carson pénétra dans son appartement, se débarrassa de ses chaussures et, avec un soupir las, se laissa tomber sur le canapé. Quatorze jours très exactement s'étaient écoulés depuis qu'elle avait eu recours à l'insémination artificielle et, durant ces quatorze jours, elle s'était sans cesse demandé si son rêve était devenu réalité.

Si l'opération avait réussi, elle ne serait plus seulement propriétaire de la boutique « Petites Affaires pour bébé », elle en deviendrait aussi la meilleure cliente. Avec un sourire attendri, elle posa une main sur son ventre.

Jamais elle n'avait été davantage prête à avoir un enfant qu'à cette période de sa vie. Elle avait vingt-huit ans, son affaire marchait au-delà de toute espérance ; elle se sentait parfaitement capable d'élever seule un enfant.

Elle avait évalué son désir de maternité comme tout ce qu'elle entreprenait dans sa vie, c'est-à-dire d'un point de vue logique, dépourvu de toute sentimentalité, et avait envisagé le déroulement des opérations dans les moindres détails.

Un coup d'œil sur sa montre lui indiqua que Gina rentrerait d'une minute à l'autre. Comme c'était à son tour de préparer le repas, elle s'extirpa du canapé pour se rendre à la cuisine. Gina n'était pas seulement son employée ; elle était sa colocataire depuis trois semaines.

Gina Rothman, qui avait vingt et un ans, était une jeune personne aimable et attentionnée. Elle occupait la chambre d'amis de Tess en attendant que ses moyens lui permettent de louer un appartement.

Quand une amie lui avait demandé si elle pouvait héberger la jeune fille, la réponse de Tess avait été très explicite : « Pas question ! »

Après avoir connu de nombreux déboires avec différentes colocataires, Tess avait décidé de ne plus jamais partager son espace de vie. Elle n'avait pas besoin de l'argent que lui procurerait la location de sa chambre ni des complications qui s'ensuivraient inévitablement.

Elle se remettait tout juste de l'enfer de la dernière expérience vécue avec une certaine Trina qui se livrait au cri primal et pratiquait ses exercices de yoga entièrement nue sur le tapis de sa salle de séjour.

Mais Margaret avait insisté, affirmant que Gina Rothman était une jeune fille bien élevée qui désirait ardemment travailler pour se faire sa place dans la vie. Et Tess avait cédé. Il se trouvait que l'arrangement fonctionnait à merveille.

Gina ne semblait dissimuler aucun défaut et se montrait avide d'apprendre tout ce que Tess pourrait lui enseigner sur la conduite d'une affaire et les mœurs d'une grande ville.

Tess se dirigea vers le réfrigérateur et inspecta son contenu. Il y avait de la viande hachée. Elle se demandait si elle allait l'accommoder avec des spaghettis en sauce ou des tacos quand elle entendit la porte s'ouvrir.

— Spaghettis ou tacos ? cria-t-elle.

Gina se présenta à la porte de la cuisine, ses yeux bleus exorbités de frayeur.

— Cache-moi, je t'en prie ! cria-t-elle.

Elle courut à Tess et lui saisit la main.

10

— Dis-lui que c'est une erreur ! Je n'habite pas ici, tu ignores qui je suis !

Tout en parlant, elle lançait des regards apeurés par-dessus son épaule.

— Calme-toi, voyons, dit Tess, inquiète. Que se passe-t-il ? De qui te caches-tu ?

Evidemment, c'était trop beau pour être vrai. Gina avait sans doute oublié de mentionner un amoureux éconduit rendu fou de rage…

— Tanner. Il m'a trouvée ! s'écria Gina, éclatant en sanglots.

— Qui est Tanner ? demanda Tess que l'état de la jeune fille commençait sérieusement à alarmer.

— Mon frère !

Les larmes inondaient maintenant ses joues.

— Je sais pourquoi il est ici. Il veut me reconduire dans ce stupide ranch ! Il est si autoritaire ! Il ne me laissera donc jamais grandir ! Jamais !

En apprenant que la menace venait d'un frère et non d'un déséquilibré, Tess se détendit.

— Eh bien, tu n'as qu'à lui expliquer que tout va bien pour toi ici et que tu ne veux pas rentrer, dit-elle doucement.

Gina secoua la tête avec véhémence.

— Tu ne connais pas Tanner ! Il ne m'écoutera pas… Il ne m'écoute jamais ! De toute manière, il n'en fait qu'à sa tête !

Sur ces mots, elle lâcha la main de Tess et courut s'enfermer dans sa chambre.

Un bref instant plus tard, on frappait brutalement à la porte d'entrée. Tess hésita un instant, essayant de mettre de l'ordre dans ses pensées.

Quand elle avait accueilli Gina, elle savait que c'étaient les débuts de la jeune fille dans la vie. Elle avait quitté la maison familiale dans l'ouest du Kansas pour venir s'installer à Kansas City et vivre

11

une vie indépendante. Mais apparemment, son grand frère s'était lancé à sa poursuite.

Tout ce qu'elle avait à faire était de le rassurer, de lui expliquer que Gina avait la tête sur les épaules, qu'elle ne se laissait pas corrompre par les tentations de la capitale et qu'elle assumait sa nouvelle existence avec maturité et bon sens.

Elle ouvrit la porte et oublia tout l'argumentaire qu'elle avait préparé au moment où ses yeux se posèrent sur le cow-boy à l'insolente carrure et aux yeux bleu nuit brûlant de fièvre.

Il portait un jean étroit et usagé, une chemise de toile et des bottes. Ses cheveux coupés court, du même brun profond que ceux de Gina, mettaient en valeur des traits puissants, bien dessinés et à l'expression hardie. Gina avait tout simplement omis de mentionner que son frère était fort bel homme.

— Bonsoir.

La voix grave résonna agréablement à ses oreilles.

— Je suis Tanner Rothman ; je désirerais m'entretenir avec ma sœur.

Devant son sourire, Tess sentit fondre ses inquiétudes. A en croire Gina, son frère était un monstre. Mais l'homme qui se tenait devant elle semblait parfaitement policé et doué de toute sa raison. Il était de plus terriblement séduisant.

— Bonsoir. Tess Carson, la colocataire de Gina. Entrez, je vous en prie.

Elle ouvrit plus largement la porte afin de lui livrer le passage.

Comme il passait devant elle, elle reçut une bouffée de son odeur — une odeur fraîche, masculine — qui lui plut instantanément.

— Asseyez-vous, dit-elle en désignant le canapé.

— Merci mais je voudrais juste parler à Gina…

Son regard bleu sombre la parcourut puis balaya la pièce comme s'il cherchait quelque preuve d'une machination criminelle ou maléfique qui lui donnerait des arguments pour forcer sa sœur à le suivre.

En allant chercher Gina, Tess se sourit à elle-même. Il aurait bien du mal à trouver une quelconque faille. L'appartement reflétait la vie de Tess, une vie bien organisée, aseptisée, sans taches et sans bavures.

Elle frappa à la porte de la jeune fille.

— Gina...

La porte s'entrouvrit et Gina jeta un regard furtif à l'extérieur.

— Il est parti ?

— Non. Il veut juste te parler.

— Il n'en est pas question ! Il me forcerait à lui obéir ! Il gagnera... Il gagne toujours.

— Enfin, Gina, crois-tu que c'est en te cachant dans ta chambre que tu le persuaderas que tu es capable de voler de tes propres ailes ?

Gina parut réfléchir.

— D'accord, dit-elle enfin, je vais lui parler, mais seulement si tu restes avec moi.

Tess fronça les sourcils.

— Vos affaires ne me regardent pas.

— Je t'en prie, supplia Gina, tu n'auras pas besoin d'intervenir. Ta seule présence me donnera la force de ne pas acquiescer à quelque chose que je regretterai plus tard.

— Comme tu voudras.

Les deux jeunes femmes regagnèrent ensemble la salle de séjour. Debout près de la fenêtre, Tanner observait le gratte-ciel voisin.

A leur entrée, il se retourna et Tess fut de nouveau frappée par sa prestance. Il sourit tandis que ses yeux se posaient sur sa sœur avec une tendresse évidente.

— Bonsoir, Gina.

Cette dernière se laissa tomber sur le canapé ; Tess prit place à côté d'elle.

— Comment m'as-tu trouvée ? demanda Gina.

— Là n'est pas la question. Comment vas-tu ? Voilà trois semaines que je n'ai aucune nouvelle de toi.

Gina fixait un point sur le mur, à gauche de Tanner.

— J'ai été très occupée.

— Et moi, je me suis fait un sang d'encre.

Tess aurait voulu se trouver n'importe où sauf dans la pièce. Elle avait l'impression d'être un espion ou un voyeur.

Gina rougit.

— Je ne vois vraiment pas pourquoi ! Comme tu peux le constater, je vais bien.

— Je voulais te proposer de t'emmener dîner.

— Je n'ai pas faim.

Tess regardait le frère et la sœur. La tension dans l'air était palpable.

— Il est presque 19 heures et je sais que tu sors du travail, insista Tanner. Tu as forcément faim. Viens, Gina. Tout ce que je veux, c'est dîner tranquillement avec toi.

Sa voix était implorante. Gina hésita. Son regard alla de Tess, qui s'efforçait de garder une expression de neutralité, à son frère.

— D'accord, je dînerai avec toi, mais seulement si Tess nous accompagne.

Cette dernière sursauta.

— Oh ! Je ne crois pas que…

— Parfait, répliqua Tanner, l'interrompant sèchement.

Il s'écarta de la fenêtre pour se diriger vers la porte d'entrée.

— J'ai aperçu un restaurant à la mine sympathique tout près d'ici. Retrouvons-nous là-bas d'ici une demi-heure. Ça vous laissera le temps de vous rafraîchir.

Il était parti sans laisser à Tess l'opportunité de protester contre cet arrangement qui l'incluait malgré elle.

— Je pense qu'il est vraiment préférable que ton frère et toi vous retrouviez en tête à tête, insista-t-elle.

14

— Je t'en prie, Tess, ne me laisse pas tomber, dit Gina, d'un ton implorant.

— Tu es majeure, Gina ! Il ne peut te ramener au ranch contre ton gré. Tu n'as pas besoin de moi pour le lui expliquer.

— Si tu ne viens pas, je n'irai pas non plus. Et il reviendra. S'il te plaît, Tess !

Devant l'air suppliant de sa jeune colocataire, Tess sentit sa volonté faiblir. Elle savait ce qu'on ressent à cultiver des rêves que votre entourage vous croit incapable de réaliser…

— D'accord, je viens. Mais en ce qui concerne ton frère, ne compte pas sur moi pour prendre ta défense !

— Merci, dit Gina avec un évident soulagement.

— Je vais me changer, dit Tess, désireuse d'échanger son sobre tailleur contre une tenue moins stricte.

Tout en se dirigeant vers sa chambre, elle se jura de ne pas ouvrir la bouche du repas. Pas question d'entrer dans la bataille qui opposait le beau cow-boy à sa jeune sœur.

Assis à une table du restaurant, Tanner attendait l'arrivée des deux jeunes femmes. Le fait que Gina ait invité Tess à se joindre à eux l'avait irrité. D'après ce qu'il avait perçu de la jolie blonde, il redoutait son influence sur sa douce et innocente petite sœur.

Malgré tout, l'attirance immédiate qu'il avait ressentie pour Tess quand celle-ci avait ouvert la porte l'avait stupéfié. Ses cheveux blonds, coupés court, encadraient d'un halo de mèches ondulées un visage aux traits fins et aux yeux ambrés. Dans son tailleur bleu marine, elle ressemblait à la femme d'affaires froide et calculatrice qu'on lui avait décrite.

Il désirait rencontrer Gina seul à seule. Il savait que, pour peu qu'il ait l'occasion de passer quelque temps avec elle, il saurait la convaincre que le fait d'avoir abandonné ses études pour venir s'installer à Kansas City ne servait pas au mieux ses intérêts.

Malheureusement, il semblait qu'il n'arriverait pas à passer une minute seule avec elle. Du moins, pas ce soir.

— Voulez-vous prendre un verre en attendant vos amis ? lui demanda la serveuse avec un sourire plein de séduction.

Un scotch *on the rocks* aurait été le bienvenu, seulement il devait garder les idées claires en vue de la confrontation à venir.

— Un thé glacé, s'il vous plaît.

La serveuse s'éloigna et les pensées de Tanner se reportèrent sur sa sœur. Il ne comprenait pas Gina ; à ses yeux, ce départ impromptu pour Kansas City était un acte de révolte.

Il lui avait donné trois semaines pour revenir à la raison. Comme, au bout de ce laps de temps, la situation restait inchangée, il devenait impératif de la régler rapidement et efficacement.

En voyant l'objet de ses pensées et son amie entrer dans le restaurant, il se leva et alla à leur rencontre. Il remarqua que Tess avait échangé son tailleur de femme d'affaires contre un pantalon marron et une tunique marron et beige, tenue plus décontractée quoique raffinée.

Un signal d'alarme résonna dans sa tête quand il se rendit compte que sa sœur était habillée de façon très similaire.

— Bonsoir, dit-il en souriant.

Tess lui retourna son sourire mais pas Gina. Il les accompagna jusqu'à leur table, située légèrement à l'écart. Gina prit une chaise en face de Tanner, laissant Tess s'asseoir à son côté. Quand cette dernière s'installa, Tanner huma les effluves d'un parfum aux riches senteurs florales qui lui évoqua fugitivement le printemps au ranch.

— J'espère que vous aimez la viande grillée, dit Tanner. C'est un des menus préférés de Gina.

— Plus maintenant ! répliqua l'intéressée d'un ton maussade.

L'attitude puérile de Gina ne faisait que conforter Tanner dans l'idée qu'elle n'était pas prête pour le grand saut vers l'indépendance.

16

— J'adore la viande grillée, dit Tess.

Elle prit le menu qui se trouvait devant elle, imitée par Gina qui le tint suffisamment haut pour dissimuler son visage à Tanner.

Il retint un sourire. Il connaissait si bien sa sœur. Elle lui en voulait et se tenait sur la défensive, ce qui signifiait généralement qu'elle avait conscience de commettre une sottise. Non, ce ne serait pas un problème de la convaincre de rentrer avec lui.

A ce moment, la serveuse vint prendre leur commande. Après son départ, Tanner regarda sa sœur.

— Bugsy a eu des petits la semaine dernière.

Se tournant vers Tess, il expliqua :

— Bugsy est la golden retriever de Gina.

L'humeur de la jeune fille s'éclaira instantanément. Elle se pencha en avant, les yeux brillants.

— Combien ?

— Quatre. Deux mâles et deux femelles.

— Comment va-t-elle ?

— Elle a traversé l'épreuve en brave petit soldat !

Il laissa passer quelques instants.

— Tu lui manques, dit-il.

— Ne t'aventure pas sur ce terrain ! riposta Gina.

Et, s'adossant à son siège, elle croisa les bras dans un geste de défi.

— C'était une simple constatation, Gina. Je n'essaie pas de manipuler tes émotions.

Il se rendit soudain compte qu'il allait devoir user de davantage de diplomatie qu'il ne l'imaginait. Une alliée lui serait peut-être d'un grand secours ; une alliée qui serait assise à sa gauche, par exemple… Si Gina refusait de l'écouter, il avait le sentiment qu'elle ne resterait pas insensible aux arguments de la ravissante Tess.

Il se tourna vers la jeune femme. Saurait-il la charmer de manière à l'attirer dans son camp ? Visiblement mal à l'aise, elle aurait sans nul doute préféré être ailleurs. Ses doigts jouaient avec sa serviette sur ses genoux et elle semblait plongée dans la contemplation d'une plante en pot.

— Si j'ai bien compris, mademoiselle Carson, vous possédez une boutique de vêtements pour enfants…

Elle sourit et il ne put s'empêcher de noter la courbe adorable de ses lèvres qui semblaient faites pour le baiser.

— Oui. J'ai inauguré Petites Affaires pour bébé voici deux ans.

La conversation s'interrompit avec l'arrivée de la serveuse qui apportait leurs plats. Elle les servit, échangea quelques mots avec eux sur le temps et l'activité qui régnait dans l'établissement depuis l'apparition du printemps, puis tourna les talons.

— J'imagine que diriger une telle affaire requiert du temps et de l'énergie, dit Tanner, attaquant son steak.

— Certainement. C'est pourquoi je suis si satisfaite d'avoir engagé Gina. Elle est très à son affaire ; un véritable cadeau des dieux !

Elle sourit avec affection à la jeune fille qui lui retourna un sourire plein d'adoration.

— Gina est très capable, renchérit Tanner.

« Beaucoup trop capable pour occuper une place de vendeuse à bas salaire dans un magasin de vêtements pour enfants », ajouta-t-il pour lui-même.

Sa principale crainte, outre le fait que Gina ne tire pas le meilleur parti de ses possibilités intellectuelles, était qu'une petite crapule de beau parleur citadin ne profite de sa crédulité pour lui briser le cœur et la laisse non seulement travailler dans un magasin de vêtements pour bébés, mais encore en devenir cliente. Alors, tous ses efforts seraient réduits à néant ; jamais elle ne connaîtrait le bel avenir qu'il avait envisagé pour elle.

— Gina m'a dit que vous dirigiez un ranch important, dit Tess. Vous devez savoir ce que c'est de travailler de longues heures sans compter ses efforts.

Tanner hocha la tête.

18

— C'est effectivement un travail très dur et très prenant, surtout à cette époque de l'année.

— Tu dois donc être pressé de rentrer, insinua Gina.

Devant ce manque de subtilité, Tanner éclata de rire.

— Tu me connais, Gina ! La famille compte plus pour moi que tout au monde.

Il se tourna vers Tess.

— Vous avez de la famille, mademoiselle Carson ?

— Tess, je vous en prie. Pour toute famille, je n'ai que ma mère.

— Elle habite Kansas City ?

— Oui. Malheureusement, nous ne sommes pas très proches. La salade est délicieuse, tu ne trouves pas ? ajouta Tess, se tournant vers Gina.

Sourcils froncés, Tanner coupa un morceau de steak. Elle n'était pas proche de sa mère… Raison de plus pour soustraire Gina à son influence.

Tanner accordait beaucoup d'importance à la famille. Tess Carson ne connaissait pas sa chance d'avoir une mère. Tanner, lui, savait ce que c'était d'être orphelin. Gina représentait toute sa famille.

— Quel genre de ranch possédez-vous, monsieur Rothman ?

— Tanner, ce sera suffisant. Nous élevons du bétail. Je possède un important troupeau de charolais et des vaches Hereford.

— N'y a-t-il pas une race pour la viande et une pour le lait ?

Tanner et Gina rirent.

— Ce sont deux races de vaches à viande.

— Ne soyez pas gênée, dit Tanner à Tess dont les joues avaient pris une charmante coloration rose. Personnellement, je ne reconnaîtrais pas une couche d'un bonnet !

Elle eut un rire doux et musical.

— Je crains de ne pas très bien m'y connaître en bétail !

— Tanner élève aussi des chevaux de race, expliqua Gina. Two Hearts a produit quelques champions *quarter horses*.

— Two Hearts… c'est le nom de votre ranch ? s'enquit Tess.

— C'est Gina qui l'a choisi.

Tanner gardait un souvenir très précis du moment où le ranch avait été baptisé. C'était deux jours après l'enterrement de leurs parents ; ils se tenaient sous le porche et contemplaient les étendues de pâturages et de champs qui environnaient la maison.

— Tanner n'aime pas ce nom, expliqua Gina. Il le trouve trop féminin !

Elle sourit à son frère.

— Mais il a dit que si c'était Two Hearts que je voulais, ce serait Two Hearts.

— Je t'ai trop gâtée ! s'exclama Tanner.

Durant le reste du repas, ils abordèrent des sujets moins personnels, évoquant la belle journée de printemps, les films nouvellement sortis et le dernier scandale politique. Tanner, qui sentait son regard de plus en plus attiré par Tess, s'irritait de la trouver si séduisante.

Quand elle souriait, une fossette se creusait dans sa joue gauche et, quand elle devenait pensive, elle fronçait les lèvres dans ce qui semblait une invitation à explorer leur engageante texture.

Elle était aussi vive d'esprit que jolie et leur conversation se révélait vivante et stimulante. Mais il n'était pas là pour apprécier la compagnie de la colocataire et employeuse de Gina, se rappelat-il tandis que le repas touchait à sa fin et qu'ils commandaient des cafés.

Tout en refermant ses doigts sur sa tasse, il décida qu'il était temps de reprendre sa campagne pour ramener sa sœur là où se trouvait son véritable foyer.

— Je m'inquiète pour toi, Gina…, commença-t-il.

L'autorité ayant échoué, il fallait bien aborder le sujet sous un autre angle.

— Il n'y a pas de raison ! se récria la jeune femme. Je vais très bien.

— Tu ne comprends pas les dangers auxquels tu t'exposes dans une grande ville comme Kansas City. Tu as mené une existence protégée toute ta vie ; tu n'es pas armée pour affronter la violence urbaine !

Il étendit le bras à travers la table et prit la main de sa sœur.

— Tu sais que je ne serais pas venu si je n'étais si inquiet.

Avec une expression chagrinée, Gina lui retira sa main. Du regard, elle chercha un soutien du côté de Tess.

— Gina semble fort bien gérer sa nouvelle indépendance, dit cette dernière. Moi-même, à son âge, je m'assumais et je m'en suis très bien sortie.

Tanner s'efforça de dissimuler son irritation derrière un sourire.

— Mais Gina n'est pas vous. De plus, je n'ai pu m'empêcher de remarquer que votre appartement n'est pas situé dans le quartier le plus sûr de la ville.

— Mon quartier est en cours de réhabilitation ! s'exclama Tess dont le regard reflétait l'agacement de Tanner. J'ai trouvé pratique d'habiter près de ma boutique !

— Ce qui est bon pour vous ne l'est pas forcément pour Gina. Je le dis et le répète : elle n'est pas prête à accomplir ce grand saut dans la jungle citadine. Elle est trop jeune et mal préparée à se débrouiller seule.

— Si vous vous inquiétez pour l'existence que mène ici Gina, pourquoi ne pas rester quelques jours en ville ? En la regardant vivre et travailler, vous comprendrez peut-être qu'elle a parfaitement la situation en main.

L'idée parut horrifier Gina. De son côté, Tanner se rembrunit. Il n'entrait pas dans ses plans de s'attarder à Kansas City. Il n'avait pas non plus prévu que sa sœur trouverait un soutien aussi ferme en la personne de son employeuse.

— Bonne idée, répliqua-t-il en s'efforçant de masquer son dépit.

Rien ne marchait comme il l'entendait, et il détestait voir ses plans contrecarrés.

— Voyons, Tanner, s'écria Gina, avec le travail qui t'attend au ranch, tu ne vas tout de même pas perdre ton temps à m'espionner !

— Au contraire, Gina. J'ai toujours accordé la priorité à la famille ; tu le sais très bien…

Il s'interrompit et but une gorgée de café avant de continuer.

— De plus, j'ai un contremaître de confiance. Il dirigera très bien l'entreprise en mon absence. J'ai repéré un hôtel plus bas dans la rue ; il est possible qu'un court séjour à Kansas City calme mes inquiétudes.

Il se força à sourire. Il ne comptait pas du tout se laisser rassurer et n'envisageait pas de repartir sans Gina. Bien sûr, légalement, il ne disposait d'aucun moyen de pression. Elle était majeure et pouvait refuser de le suivre. Seulement, Tanner n'ignorait pas qu'il existe plusieurs façons de plumer un canard. A l'heure actuelle, en tout cas, un des plus sûrs moyens d'obtenir le retour de Gina était de gagner la confiance de Tess.

Il examina la jolie blonde et son taux d'adrénaline grimpa brutalement en se rendant compte que c'était là un canard qu'il plumerait volontiers.

2.

— Je ne peux pas croire que tu aies fait ça ! s'exclama Gina quand les deux jeunes femmes se retrouvèrent seules dans l'appartement.

Tess envoya promener ses chaussures avant de se laisser tomber sur le canapé.

— Que j'aie fait quoi ?

— Suggéré à Tanner de rester quelques jours !

Gina arpentait le tapis devant Tess, son corps mince tressaillant de nervosité.

— Un manipulateur pareil ! Ça lui fournira une excellente occasion de m'amener à céder à sa volonté et non de suivre la mienne !

— Il se fait du souci pour toi, c'est tout. Après t'avoir un peu observée, je suis sûre qu'il repartira l'esprit tranquille.

— Tu ne le connais pas ! Il est plus têtu qu'une mule. Ne succombe pas à son charme, je t'en prie. Il est si abominablement borné qu'il n'a même pas de petite amie !

Tess leva les bras au ciel.

— Il s'agit bien de moi ! C'est entre ton frère et toi que ça se passe, Gina. Il n'a aucune raison de me séduire, c'est toi qu'il tient à ramener au ranch !

— Il veut que je passe mon diplôme et obtienne une place d'institutrice à l'école du coin ! Et aussi que j'épouse Walt Tibberman !

— Qui est Walt Tibberman ?

Gina s'arrêta de faire les cent pas et prit place dans le fauteuil qui faisait face au canapé.

— Walt travaille au ranch. Il est gentil et travailleur. Je sais que je lui plais, mais moi, il me laisse indifférente. Il n'existe aucune magie entre nous, tu comprends.

Tess se mordit la langue. Elle ne croyait pas en ce genre de magie. De son point de vue, l'amour n'était qu'une jolie illusion destinée à faire vendre cartes et fleurs et à justifier l'assouvissement du désir physique. L'amour, c'était bon pour les femmes en mal d'affection, incapables de se suffire à elles-mêmes, pensait-elle.

Elle se leva et sourit à son amie.

— Ecoute, Gina, si tu veux vraiment construire ta vie ici, montre-toi forte et résiste à ton frère. Sur ce bon conseil, je vais me coucher !

Quelques instants plus tard, l'esprit occupé par Tanner Rothman, Tess échangeait ses vêtements contre une courte chemise de nuit de coton.

Elle le trouvait non seulement séduisant mais aussi sympathique. Sa préoccupation pour sa sœur, son désir de s'assurer que tout se passait bien pour elle ne faisaient qu'ajouter à son charme.

La mélancolie l'envahit tandis qu'elle se glissait entre ses draps. Si seulement quelqu'un s'était soucié d'elle quand, à dix-huit ans, elle s'était retrouvée livrée à elle-même…

Gina considérait sans doute comme un fardeau ce frère protecteur ; c'était qu'elle ignorait sa chance d'avoir quelqu'un qui se préoccupe de son bien-être…

Tess repoussa la désagréable pensée. Elle évoquait rarement ses frustrations passées, préférant concentrer son énergie sur ses projets actuels. Par la force des choses, elle avait appris à un âge très tendre à ne compter que sur elle-même.

Elle posa une main sur son ventre, se demandant si, en cet instant précis, une petite vie l'habitait. Elle espérait de toutes ses forces que l'insémination artificielle avait réussi. Son enfant jouirait de tout l'amour, de toute l'attention que personne n'avait jamais pris le temps de donner à Tess.

Elle fronça des sourcils ensommeillés. Où donc se trouvaient les parents de Tanner et de Gina ? A aucun moment ils n'y avaient fait allusion. Ils devaient pourtant bien avoir une opinion sur la question… En fait, Tess s'apercevait que durant leurs quelques semaines de cohabitation, Gina n'avait jamais mentionné leur existence.

Mais en quoi cela la regardait-il ? En rien. Pas plus que les choix de Gina. Et, si beau, si charmant que fût Tanner Rothman, il aurait d'ici peu réintégré son ranch et elle poursuivrait sa route… avec, espérait-elle, l'attente d'une naissance qui comblerait le vide de son cœur.

Sur cette plaisante pensée, Tess s'endormit.

Il était 8 heures tout juste passées quand, le lendemain matin, elle quitta son appartement pour se rendre à la boutique située à quelques centaines de mètres de là. C'était une radieuse matinée de printemps ; à travers ses vêtements, le soleil déjà haut baignait de chaleur ses épaules et un suave parfum provenant de la boutique du fleuriste embaumait l'air.

Bien que le magasin n'ouvrît officiellement qu'à 9 h 30, Tess aimait arriver en avance. Elle s'arrêtait au snack pour acheter des petits pains frais qu'elle dégusterait avec du café préparé dans son bureau.

Elle aimait profiter de ces moments de tranquillité qui précédaient l'arrivée des premiers clients. Bien souvent, l'affluence ne lui permettant pas de fermer la boutique, ce repas lui tenait également lieu de déjeuner.

Comme d'habitude, le snack était plein d'employés de bureau et de vendeurs qui travaillaient tous dans le quartier. Tess se dirigea vers le comptoir pour passer sa commande. Un homme d'un certain âge, corpulent, l'accueillit d'un sourire.

— Bonjour, poupée !

— Bonjour, Johnny !

— Comme d'habitude ?

Elle s'apprêtait à acquiescer quand elle se rappela que Tanner passerait sans doute au magasin.

— Doublez donc la commande, s'il vous plaît.

Tout en plaçant les petits pains dans un sac, Johnny leva un sourcil gris et broussailleux.

— Que se passe-t-il ? Vous avez sauté le repas d'hier soir ?

Elle rit.

— Vous savez bien que ce n'est pas mon genre !

— C'est parti, poupée ! Mais allez-y doucement.

Elle prit le sachet qu'il lui tendait et régla sa note.

— Ne vous mêlez pas de ça, Johnny !

— C'est la perpétuelle intention d'un ex-taulard, répliqua-t-il avec un sourire taquin.

Elle lui rendit son sourire. Au moment où elle se retournait pour partir, elle donna brutalement du nez dans une puissante poitrine. Levant les yeux, elle découvrit Tanner Rothman. Il la rattrapa par les épaules et sourit.

— Bonjour !

Troublée par sa virile odeur et le contact de son torse musclé, elle s'écarta prestement.

— Bonjour.

— Vous vous rendez à la boutique ?

Elle hocha la tête.

— Je m'arrête toujours chez Johnny acheter des petits pains. J'en ai pris un peu plus ce matin. Si vous voulez partager avec moi…

— Bonne idée. Je me demandais à quelle heure vous ouvriez.

— J'arrive habituellement vers 8 h 30. Gina ne commence qu'à midi.

Ils quittèrent le snack et empruntèrent le trottoir pour se rendre à Petites Affaires pour bébé. Tess essayait de ne pas remarquer combien il avait belle allure dans son jean usagé et un T-shirt bleu marine qui exposait des avant-bras musclés et approfondissait le bleu intense de ses yeux.

Difficile pourtant de nier le pouvoir de séduction de Tanner quand, dépassant un groupe de femmes, elles ouvrirent des yeux admiratifs sur son passage.

— Le propriétaire du snack est un ancien détenu ? demanda Tanner.

Tess comprit tout de suite qu'il imaginait toute sorte d'horreurs concernant sa sœur chérie fréquentant un dangereux criminel.

— Il y a trente ans de ça, Johnny a cambriolé deux maisons. Il a été arrêté, a passé dix-huit mois en prison et en est ressorti apparemment transformé. Il est membre de la chambre de commerce et milite, en plus de son travail au snack, dans diverses associations œuvrant dans la prévention de la criminalité.

Ils étaient parvenus à la porte de la boutique. Elle s'arrêta et le considéra d'un air narquois.

— Ce n'est pas avec cet argument que vous réexpédierez Gina au ranch !

Un sourire souleva un coin de la bouche de Tanner d'une façon si sensuelle que le cœur de Tess bondit dans sa poitrine.

— Suis-je donc si transparent ?

— Dans ce cas, oui !

Elle sortit un trousseau de clés de sa poche et ouvrit la porte. Elle dut se concentrer pour oublier la bouffée de chaleur que son sourire avait suscité en elle.

— Bienvenue chez « Petites affaires pour bébé », dit-elle en allumant la lumière. Si vous voulez me suivre dans l'arrière-boutique, je vous offrirai du café.

Tandis qu'ils traversaient la salle, Tess sentait le regard de Tanner qui prenait la mesure des lieux.

L'agencement de sa boutique la remplissait de fierté. Elle avait passé d'interminables heures et utilisé toutes ses connaissances en marketing pour créer une ambiance accueillante et propice aux achats.

— Qu'est-ce que c'est ? demanda Tanner, passant devant un espace situé au fond de la boutique et meublé de chevaux à bascule et de jouets divers.

— Je suis en train d'aménager une aire de jeux pour les enfants. J'ai prévu des petites tables et des bancs et quand cela sera fini, je mettrai à leur disposition des livres et des puzzles. Beaucoup de mes clients sont accompagnés d'enfants et j'ai pensé que ce serait agréable que ceux-ci disposent d'un endroit pour jouer pendant que les adultes font leurs achats.

— Très ingénieux.

Elle sourit.

— Et très rentable. Les parents consacrent plus de temps à leurs achats quand leurs enfants ne s'accrochent pas à leurs basques ! Et plus les gens consacrent de temps à leurs achats, plus ils sont disposés à dépenser leur argent !

Elle désigna son bureau. Ce dernier, qu'elle avait toujours jugé spacieux, se révéla singulièrement exigu dès l'instant où Tanner y pénétra.

— Asseyez-vous, je vous prie.

Elle lui désigna une chaise devant son bureau puis se dirigea vers la table où était installée la cafetière. Quelques secondes plus tard, elle la mettait en route. Elle s'assit à son bureau, luttant contre une soudaine et irrationnelle nervosité tandis que l'arôme du café se répandait dans l'air.

En présence de Gina, la compagnie de Tanner ne lui avait pas pesé ; maintenant qu'il ne représentait plus seulement le frère de son amie mais aussi un homme terriblement séduisant, elle se sentait de plus en plus oppressée. C'était de plus un homme qui, selon Gina, n'avait pas de petite amie parce qu'il était « abominablement borné ».

Il attendit en silence qu'elle lui serve son café, ouvre le sac de petits pains et lui en propose un.

— Si vous avez choisi ce métier, je suppose que vous aimez les enfants, dit-il enfin.

— Je les aime, répondit-elle sans hésiter. Mais ce n'est pas la raison qui m'a poussée à vendre des vêtements pour enfants.

Devant son air intrigué, elle continua :

— J'avais envie de créer ma propre entreprise et il m'a fallu des mois avant que je choisisse ce créneau.

— Qu'est-ce qui vous a donc décidée ?

— Une étude de marché menée très sérieusement. Je me suis rendu compte que nous étions sur le point de connaître un nouveau baby-boom et que, de plus, quelle que soit la conjoncture économique, les gens feront toujours des enfants.

— Très intéressant. Ainsi votre décision est plus rationnelle qu'affective.

Devant la pointe de désapprobation qui perçait dans sa voix, Tess leva le menton d'un air de défi.

— Les meilleures décisions sont celles qu'on prend de façon réfléchie, vous le savez aussi bien que moi ! Pour choisir les races que vous allez élever, vous faites certainement davantage marcher votre tête que votre sensibilité !

Il eut ce lent sourire, si séduisant, qui la mit instantanément en alerte.

— C'est difficile de parler d'affectivité à propos de vaches…

Tess préleva un morceau de son petit pain et le porta à sa bouche. Ensuite, elle but une gorgée de café tout en se creusant la cervelle pour alimenter la conversation. Elle se refusait à discuter de la situation de Gina avec lui. Se retrouver impliquée dans la guerre qui opposait le frère et la sœur était bien le dernier de ses soucis.

— Gina m'a dit que vous veniez d'une toute petite ville du Kansas, dit-elle enfin.

Il hocha la tête.

— Foxrun. Plus une bourgade qu'une ville. Tout le monde se connaît et, la plupart du temps, chacun est au courant des affaires des autres.

— Ce doit être passionnant !

— Je ne peux imaginer vivre ailleurs.

— Vos parents habitent également là-bas ?

Une ombre passa dans le regard de Tanner. Il baissa les yeux sur sa tasse de café.

— Mes parents nous ont quittés depuis longtemps ; un accident de voiture. J'avais vingt et un ans, Gina dix. Je me suis retrouvé avec un ranch en piteux état et une petite fille terrassée par le chagrin.

A présent, Tess comprenait son attitude protectrice vis-à-vis de Gina. Il n'était pas seulement son grand frère, mais aussi son père et sa mère. Pas étonnant qu'il éprouve certaines difficultés à la laisser s'émanciper ; elle avait entendu dire que c'était le cas de beaucoup de parents, quoique sa mère n'ait certainement pas appartenu à cette catégorie.

— La situation a dû être très pénible pour vous. Vingt et un ans, c'est bien jeune pour endosser de telles responsabilités.

— Le cœur y était, dans les deux cas.

La chaleur de son regard, la tendresse de son expression éveillèrent chez Tess un désir inconnu. Troublée, elle se leva et se dirigea vers la cafetière pour remplir sa tasse.

Quand elle se retourna, elle rencontra le regard de Tanner qui la détaillait de la tête aux pieds. Elle se demanda brusquement si sa jupe ne serait pas trop courte ou trop serrée… Luttant contre une rougeur qui lui montait aux joues, elle retourna s'asseoir à son bureau.

— Parlez-moi donc un peu de Tess Carson, suggéra Tanner.

Elle haussa les épaules.

30

— Il n'y a pas grand-chose à en dire. Je suis née et ai grandi à Kansas City. Toute ma vie s'est déroulée ici.

— Vous avez bien un petit ami ? Une jolie fille comme vous doit sortir tous les soirs.

Dans son regard dansait, pensa-t-elle, une lueur séductrice.

Elle rit, secrètement flattée qu'il la trouve jolie.

— Erreur ! Je ne me rappelle même plus à quand remonte mon dernier rendez-vous avec un garçon.

Il évaluait probablement le nombre de soirées que sa sœur passait seule dans l'appartement.

— Je passe la plupart de mon temps libre le nez plongé dans des catalogues à essayer de découvrir le nouvel article qui fera fureur ou bien à étudier les livres de comptabilité pour apprécier la santé de l'entreprise. Gina m'a dit que vous ne sortiez pas beaucoup non plus.

— Comme vous, j'ai du mal à me libérer.

Tess eut un sourire moqueur.

— Ce n'est pas ce que Gina prétend. Elle dit que vous n'avez pas d'amie parce que vous êtes « abominablement borné ».

Un rire sonore échappa à Tanner.

— Elle a probablement raison ; je suis connu pour mon sale caractère. Quand même, c'est un crime qu'une aussi charmante jeune femme consacre tout son temps au travail. Comment dénicherez-vous l'homme de votre vie si vous ne sortez pas ?

De nouveau dans son regard dansait cette lumière qui la déconcertait tout en lui dispensant une douce chaleur.

— Trouver l'homme de ma vie ne fait pas partie de mes priorités, répliqua-t-elle.

Avec son sourire qui l'échauffait et sa présence virile qui remplissait le bureau, Tess éprouva un urgent besoin de prendre l'air.

Après avoir consulté sa montre, elle se leva.

— Je vais ouvrir la boutique, dit-elle, bien que ce ne soit pas encore l'heure habituelle d'ouverture. Vous pouvez rester ici, si vous voulez. Mais, comme je vous l'ai dit, Gina n'arrive pas avant midi.

Elle eut une conscience aiguë de son regard fixé dans son dos tandis qu'elle se dirigeait vers la porte.

— Si ça ne vous fait rien, je vais finir mon café ici.

Tout en hochant la tête, elle sortit du bureau, soulagée de mettre un peu de distance entre eux. Si, la veille, elle avait apprécié son charme et sa séduction, elle ne s'était rendu compte que ce matin de l'intense sensualité qu'il dégageait.

Elle déverrouilla la porte d'entrée et tourna la pancarte de manière à indiquer que le magasin était ouvert. Puis elle se dirigea vers le comptoir où l'on serrait le livre de comptes.

Elle avait la sensation que, en évoquant d'éventuels rendez-vous avec des hommes, il avait subtilement flirté avec elle, et son pouls s'était accéléré de façon inconfortable.

Tout en accueillant la première cliente de la journée, elle se remémora les paroles de Gina. La jeune fille l'avait mise en garde contre le charme de son frère, et Tess s'avisait tout à coup qu'elle ferait bien de tenir compte de ce conseil.

Elle trouvait Tanner charmant et, bien qu'elle n'ait jamais été particulièrement sensible au charme d'un homme, elle sentait que si elle ne se méfiait pas, il pourrait devenir une réelle menace pour cette tranquillité d'esprit qu'elle chérissait par-dessus tout.

Tanner savait que Tess s'attendait à le voir partir après son café et revenir quand Gina prendrait son travail. Cependant, après avoir rincé sa tasse, il la rejoignit dans le magasin. Adossé au mur, il la regarda s'occuper de sa cliente, une femme enceinte qui semblait sur le point d'éclater comme un melon trop mûr.

Tanner n'avait jamais envisagé avoir des enfants. A l'époque où la plupart des hommes songent à fonder un foyer, il élevait

Gina. Aujourd'hui, à trente-deux ans, il avait l'impression d'avoir raté le coche.

Il regarda de nouveau Tess. Ce matin encore, elle avait revêtu un élégant ensemble. Veste anthracite arrivant à la taille et jupe étroite et suffisamment courte pour exposer généreusement ses jambes au galbe parfait.

Il ne lui avait pas fallu des heures de conversation pour voir confirmer ses soupçons concernant Tess Carson. Ce n'était pas du tout le genre d'exemple à donner à une petite sœur à la personnalité encore malléable.

Malgré ses interminables jambes, ses longs cils recourbés, ses traits d'ange et son corps à faire damner un saint, Tess était une petite personne froide, dépourvue de sensibilité et dévorée d'ambition.

Il avait été vaguement déçu de découvrir pourquoi elle avait choisi d'ouvrir un magasin de vêtements pour enfants. C'était une sage décision, bien sûr, mais il trouvait un peu navrant qu'elle n'ait été motivée que par des raisons commerciales.

Gina avait manqué de modèle féminin dans sa vie. Il n'y avait eu ni tante, ni marraine, personne pour la guider dans la béance que la perte de sa mère avait laissée dans sa vie.

Tess représentait une menace pour l'avenir qu'il souhaitait pour Gina. Il n'avait aucune envie de voir cette dernière se métamorphoser en femmes d'affaires au cœur sec.

Malgré tout, en regardant Tess s'affairer auprès de ses clientes qui formaient maintenant un flot quasi continu, il ne pouvait s'empêcher d'éprouver une certaine admiration.

Elle se montrait courtoise, pleine d'une infinie patience avec chacune. Et il admirait également la grâce naturelle avec laquelle elle se déplaçait d'un rayon à l'autre.

Il la sentait surprise de le voir s'attarder. Pendant qu'elle s'occupait de ses clientes, son regard revenait fréquemment à lui.

Peut-être qu'en restant assez longtemps, il finirait par l'irriter et qu'elle jugerait que Gina ne valait pas tant de tracas. Alors, elle joindrait ses arguments aux siens pour persuader la jeune fille de regagner le ranch.

— Je ne me doutais guère qu'il y avait tant de parents dans une ville, dit-il pendant un moment d'accalmie.

Elle sourit et arrangea la couverture d'un berceau.

— Mes clients ne sont pas tous de futurs parents. Dans le lot, il y a des amis et des proches venus chercher un cadeau de naissance ou de baptême.

Sur une ultime tape à la couverture, elle se redressa.

— Tout ceci doit être terriblement ennuyeux pour vous.

— Pas du tout ! Gina est-elle aussi bonne vendeuse que vous ?

Devant le sourire de Tess, Tanner sentit renaître son attirance.

— Elle est fantastique !

— Est-elle votre seule employée ?

— Deux autres jeunes femmes travaillent ici à temps partiel. Mais Gina est ma seule collaboratrice régulière.

Elle s'excusa en souriant de devoir accueillir une cliente qui franchissait le seuil.

Tanner reprit son poste contre le mur. Il fut tout surpris de voir, quelques minutes plus tard, Gina entrer dans la boutique. Il ne pouvait être midi ! Il n'avait pu consacrer toutes ces heures à regarder Tess !

— Depuis combien de temps es-tu là ? lui demanda Gina d'un ton soupçonneux.

— Pourquoi cette question ?

Elle posa son sac derrière le comptoir et chercha des yeux Tess qui montrait à un couple de futurs parents sa collection de berceaux.

— Parce que j'aimerais savoir depuis combien de temps tu essaies d'embobiner Tess pour qu'elle se range de ton côté.

34

— Je suis arrivé avant l'ouverture du magasin et Tess m'a invité à boire un café et à partager ses petits pains avec elle. Mais nous n'avons à aucun moment parlé de toi.

Gina parut surprise.

— De quoi donc avez vous parlé ?

— De choses et d'autres.

Le regard de la jeune fille se fit plus dur.

— Je te connais trop bien, Tanner Rothman. Tu n'agis jamais sans raison. Tess est mon amie ; j'exige que tu la laisses en dehors de ceci !

— Gina…

Tanner prit la main de sa sœur.

— Reviens à la maison et reprends tes études. Il te reste moins d'une année pour obtenir ton diplôme. Ensuite, tu pourras rester au ranch en attendant de te marier et de fonder un foyer. Tu ne souhaites tout de même pas rester vendeuse toute ta vie ?

— Je ne rentrerai pas à Foxrun ! J'aime vivre ici. Et je ne resterai pas vendeuse toute ma vie. Tess m'apprend à diriger la boutique et à gérer les stocks !

Elle lui retira sa main et se dirigea vers une cliente qui venait juste d'entrer.

Avec un soupir de frustration, Tanner reporta son attention sur Tess. Tout en l'observant, il entendait les paroles de Gina résonner dans sa tête. « C'est mon amie et j'exige que tu la laisses en dehors de ceci. »

Impossible d'accéder à sa demande : en faisant à Gina des promesses qui contrariaient les projets de Tanner pour son avenir, Tess se retrouvait en plein cœur de leur conflit familial.

Aussi charmante et désirable soit-elle, il ne pouvait oublier qu'elle représentait l'ennemi. Tout ce qui lui restait à faire, c'était de séduire cet ennemi pour s'en faire une alliée.

3.

Dire que Tanner Rothman la distrayait de son ouvrage restait très en deçà de la réalité. Il envahissait le magasin par sa seule présence et, quel que soit l'endroit où elle se trouvait, elle croyait sentir son parfum évocateur.

Il était trop grand ; il possédait des épaules trop larges, et la mâle séduction qui émanait de lui rendait presque impossible tout effort de concentration.

Pendant les moments de pause, il venait les voir, Gina et elle. La jeune fille elle-même semblait se détendre pendant qu'il les régalait de savoureuses anecdotes sur l'existence au ranch, l'enfance de Gina ou la vie dans une petite ville de province.

L'affection que se portaient le frère et la sœur était manifeste, et Tess se prit à rêver que quelqu'un comme Tanner s'intéresse à elle. En même temps, plus elle le trouvait attirant, plus elle sentait croître son malaise.

Quand, à 18 heures, Linda Craig, une des vendeuses à temps partiel, vint relever Tess, celle-ci n'avait qu'une idée en tête : s'éloigner de Tanner au plus vite.

Il lui paraissait invraisemblable qu'il l'affecte autant, qu'à proximité de lui, l'air se bloque dans ses poumons et ses mains deviennent moites. Toute la journée, elle avait senti son regard bleu nuit fixé sur elle. Et à chaque fois qu'elle en avait pris conscience, elle avait ressenti un bouleversement intérieur.

Un seul homme avait partagé son intimité. Durant trois mois, elle avait fréquenté Mike Covington avant de finir par coucher avec lui. L'expérience ne l'avait pas particulièrement enthousiasmée. Et c'était pourquoi elle ne comprenait pas sa réaction primitive à Tanner. La sexualité n'avait jamais tenu un grand rôle dans sa vie. Pourtant, la présence de Tanner éveillait en elle des fantasmes de draps froissés, d'étreintes passionnées, de mains calleuses parcourant son corps.

Tanner lui donnait de drôles d'idées.

En se retrouvant à l'air libre, elle poussa un soupir de soulagement. La journée s'était avérée fructueuse ; ce soir, elle envisageait de s'installer confortablement et d'éplucher les catalogues afin de dénicher des affaires qu'elle aimerait acquérir pour le bébé qu'elle portait peut-être dans son ventre.

Gina ne devait rester chez elle que deux ou trois mois, le temps de chercher un appartement. Elle libérerait ainsi sa chambre dont Tess pensait faire un véritable paradis pour bébé.

Elle n'avait pas fait trois pas hors de la boutique que Tanner la rejoignait.

— Je vous raccompagne, annonça-t-il. Ce ne serait pas correct de laisser une jeune femme rentrer seule dans des rues mal famées.

Il désigna la pile de catalogues dans ses bras.

— Voulez-vous que je porte vos livres d'école ?

Elle éclata de rire mais son pouls s'était accéléré.

— Non, mais merci quand même ! Vous savez, je circule seule dans ces rues depuis l'âge de dix-huit ans.

— Tant que je serai en ville, ce sera hors de question.

— Quelle galanterie !

— Gina appellerait ça de la surprotection, dit-il avec une grimace.

Tess rit, surprise de se découvrir heureuse à la pensée d'être raccompagnée chez elle.

— Gina est jeune, elle croit que vous êtes ici pour lui gâcher son plaisir.

— Elle se trompe, répliqua-t-il gravement. Il y a trois semaines de ça, nous nous sommes disputés. C'était une querelle idiote et, sur le coup, je n'y ai pas prêté beaucoup d'attention. Mais elle a préparé son sac et annoncé qu'elle quittait Foxrun. Je pensais qu'elle serait rentrée à la tombée de la nuit.

— Mais ça n'a pas été le cas…

Tess essaya de ne pas remarquer la façon dont le soleil jouait dans son abondante chevelure brune.

— Non. J'ai patienté jusqu'au lendemain après-midi. Alors, j'ai commencé d'interroger voisins et amis. C'est ainsi que j'ai découvert que Margaret Jamison avait encouragé Gina à partir pour Kansas City.

Les muscles de la mâchoire de Tanner se contractèrent sous l'effet de l'irritation.

— J'imagine que vous ne la portez pas dans votre cœur.

La crispation se fit encore plus évidente.

— C'est une fouineuse qui ferait mieux de se mêler de ses affaires.

Une légère rougeur couvrit le cou de Tanner.

— Désolé, je ne devrais pas dire ça. C'est votre amie.

— C'est aussi une fouineuse ! dit Tess avec un petit rire. Mais elle est animée de bonnes intentions. Elle a travaillé chez moi environ six mois, jusqu'à ce que son mari achète une ferme dans l'Ouest.

Ils étaient parvenus au pied de l'immeuble de Tess.

— Ils ont acheté le domaine voisin du mien, expliqua Tanner.

Sourcils froncés, il fourragea dans sa chevelure.

— Quoi qu'il en soit, c'est Margaret qui m'a appris qu'elle vous avait demandé d'engager Gina et de la loger quelque temps.

Tess hocha la tête.

— Margaret m'a effectivement appelée pour me demander d'aider votre sœur. Elle affirmait que Gina était une jeune fille intelligente et bien élevée.

— Elle est tout cela, mais elle est aussi d'une incroyable naïveté et pas du tout préparée à une vie indépendante. Elle n'a encore jamais occupé d'emploi.

— Elle m'a dit qu'elle a travaillé en bénévole pour un hôpital et une association de protection des animaux.

Tess fit passer le poids de ses catalogues sur un bras et tira son trousseau de clés de sa poche.

— De toute façon, je refuse de rentrer dans le débat. C'est une affaire à régler entre vous deux.

— Vous avez raison. Je suis désolé. Je n'aurais pas dû amener la conversation sur le tapis.

Tess se mordit les lèvres.

— Tout ce que je sais, c'est que durant les trois semaines où Gina a travaillé pour moi, elle s'est révélée consciencieuse et responsable, ne put-elle se retenir de faire remarquer. Je crains que vous continuiez de la considérer comme une enfant et non comme la jeune femme qu'elle est devenue.

Les yeux de Tanner prirent une teinte d'orage et sa mâchoire se contracta.

— Je sais ce qui est bon pour elle ! Elle doit rentrer avec moi à Foxrun.

Sa voix résonnait d'une autorité que Tess n'y avait pas encore décelée.

— Dans ce cas, il ne vous reste plus qu'à l'en convaincre ! Et maintenant, si vous voulez bien m'excuser, je vais rentrer me reposer.

— Oui, naturellement.

Il souriait mais elle sentait sa bonne humeur forcée.

— A demain.

Tess le regarda s'éloigner. Il possédait une démarche légèrement chaloupée, et d'une assurance qui frisait l'arrogance.

Elle se détourna et rentra dans l'immeuble. Dans l'ascenseur, elle se remémora leur conversation.

Elle avait fini par entr'apercevoir l'homme autoritaire que Gina lui avait décrit. Sous son aspect charmeur se dissimulait un être qu'on pouvait sûrement qualifier d'« abominablement borné ».

Dans son appartement, elle se débarrassa de ses chaussures, déposa les catalogues sur la table basse et alla se changer dans sa chambre.

D'un côté, la profonde tendresse que Tanner vouait à sa sœur, avec son corollaire d'inquiétudes, la touchait. De l'autre, elle avait le sentiment qu'il sous-estimait largement la force de caractère et la détermination de Gina.

Elle terminait juste de se changer quand le téléphone sonna. Se laissant tomber en travers du lit, elle saisit l'appareil posé sur la table de nuit.

— Tess ! Je suis heureuse de t'entendre.

— Bonsoir, Lillian.

C'était sa mère.

— J'ai eu ton message la semaine dernière ; j'ai pensé que ce serait bien de te rappeler.

Heureusement qu'il ne s'agissait pas d'une urgence, se dit Tess. Elle garda néanmoins sa réflexion pour elle. Elle avait appris depuis longtemps que sa mère était incapable de lui donner l'amour après lequel elle avait autrefois langui.

— La fête des Mères tombe dimanche prochain, dit Tess. Je me demandais si tu voudrais déjeuner avec moi…

La jeune femme enroulait nerveusement le cordon du téléphone autour de son doigt ; elle aurait tellement aimé que sa mère accepte.

40

— Je crains que ce ne soit impossible, répondit Lillian, sans manifester le moindre regret. Joe et moi avons prévu une sortie pour le week-end. Tu sais combien il adore pêcher.

Non, Tess ne savait pas. Elle savait très peu de choses concernant Joe Kinsell, le dernier amant de sa mère. Elle ne l'avait rencontré qu'une fois.

— Très bien. J'espère que vous passerez du bon temps tous les deux.

— Oh ! pour ça, je n'ai pas d'inquiétudes. Nous sommes tellement heureux ensemble. A propos, j'ai un petit service à te demander. Il faudrait que tu viennes t'occuper de Cuddles.

Cuddles était le caniche de sa mère. Si Lillian n'avait eu besoin de son aide, l'aurait-elle appelée ? Tess en doutait.

— Bien sûr.

— Parfait ! Nous rentrerons dimanche soir, tard. Je t'appellerai la semaine prochaine, quand ce sera plus calme.

Sur ces mots, Lillian raccrocha.

Tess reposa l'appareil avec une poignante sensation de vide dans la région du cœur. Depuis le temps, elle aurait dû s'habituer à être quantité négligeable aux yeux de sa mère ; il en avait toujours été ainsi. Très tôt, elle avait appris à ne dépendre que d'elle-même.

Elle roula sur le dos et posa une main sur son ventre. Jamais elle n'avait désiré aussi passionnément quelque chose que ce bébé. Et l'idée que, en cet instant précis, elle puisse être enceinte la remplit d'une tendresse qui chassa sa douloureuse impression.

Puis la pensée de Tanner et de Gina revint la préoccuper. Ces deux-là avaient bien de la chance de s'avoir. Malheureusement, elle pressentait que, sous peu, elle allait se retrouver dans leur ligne de mire. Combien de temps parviendrait-elle à conserver sa neutralité ? Et si elle devait prendre parti, de quel côté se rangerait-elle ?

En retournant à la boutique, Tanner se sentait plus débordant d'énergie que jamais. Il savait pourquoi. C'était le résultat de sa tension sexuelle.

S'il n'était pas certain d'apprécier Tess Carson, il la désirait sans équivoque. C'était totalement irrationnel, mais c'était ainsi. Son pouls tambourinait dans ses veines ; il y avait si longtemps qu'il n'avait eu de relations physiques…

Trop longtemps. Quand Gina était plus jeune, soucieux de lui montrer le bon exemple, Tanner n'amenait jamais de femme au ranch. Il n'avait recommencé à sortir que tout récemment mais aucune femme ne lui avait vraiment donné envie d'aller plus loin.

Tout au long de la journée, il avait senti son regard attiré vers Tess. Il se demandait quel goût auraient ses lèvres et si sa peau était aussi douce qu'il y paraissait.

Son désir était totalement indépendant de son projet de gagner son appui dans le conflit qui l'opposait à Gina. C'était deux champs d'action bien distincts. Dans un cas, il devrait utiliser sa cervelle, dans l'autre, c'était une partie de lui peu sensible à la raison qui se trouvait sollicitée.

Cependant, quand il franchit le seuil de la boutique, la pensée de Tess fut balayée par la vue d'un jeune godelureau en tenue de livreur qui, penché sur le comptoir, flirtait avec sa petite sœur.

En l'apercevant, cette dernière se redressa.

— Tanner, je te présente Danny Burlington. Danny, c'est mon frère, Tanner Rothman.

Le jeune homme tendit la main à Tanner qui la prit et la serra.

— Vous êtes venu livrer une commande ou draguer ?

— Tanner ! s'exclama Gina avec colère.

Danny lâcha la main de Tanner mais son regard soutint fermement le sien.

— Je suis venu voir Gina, monsieur. Plus précisément, je venais lui proposer de dîner ensemble ce soir et peut-être d'aller ensuite au cinéma.

— Et j'ai répondu que je serais ravie de sortir avec lui ! riposta Gina.

Devant son expression pleine de défi, Tanner se rendit compte qu'il avait intérêt à changer son fusil d'épaule s'il ne voulait pas définitivement la perdre.

Avec un sourire forcé, il l'enlaça.

— Je compte sur vous pour abréger la soirée, Danny. Gina travaille.

Le jeune homme se détendit.

— Bien sûr, monsieur ! Moi-même, je prends mon emploi tôt le matin. Nous ne nous attarderons pas, c'est promis.

Bien qu'il en mourût d'envie, Tanner jugea préférable de s'abstenir d'exiger de Danny une photocopie de son permis de conduire et ses empreintes digitales.

— Viens, Danny, je te raccompagne, proposa Gina.

Elle se dégagea de l'étreinte de Tanner pour se diriger avec le jeune homme vers la porte.

Tanner regarda sa sœur sourire au beau livreur. Il advenait exactement ce qu'il redoutait : elle s'amourachait du premier beau parleur venu.

Au pire, ledit livreur la laisserait seule et enceinte. Au mieux, elle se croirait amoureuse de lui et n'en refuserait que plus énergiquement de rentrer à Foxrun.

Malgré tout, si violente soit son envie d'intervenir sans ménagement et d'annuler le rendez-vous, il se rendait compte que c'était impossible. De sa façon de gérer cette crise dépendait le succès ou l'échec de sa démarche.

Il se força à sourire à Linda. Elle le dévisagea froidement avant de se remettre à plier des couvertures pour bébés. Que lui avait raconté Gina à son sujet ? A en juger par l'attitude de la jeune femme, ça ne devait pas être très flatteur.

En revenant, Gina avait le sourire aux lèvres et le regard brillant.

— Merci, dit-elle à Tanner.

— De quoi ?

— De ne pas avoir fait de scène.

Elle posa les coudes sur le comptoir. Tout son être trahissait le contentement.

— Il est vraiment gentil, tu sais. Presque tous les soirs, il passe à la boutique pour me raccompagner à la maison après la fermeture. Je lui ai dit que, ce soir, ce n'est pas nécessaire puisque tu es là.

Tanner enfouit ses mains dans ses poches pour se retenir de la prendre dans ses bras et de la serrer bien fort pour la protéger des vicissitudes de la vie.

— Que sais-tu de lui ? demanda-t-il d'un ton qu'il espéra naturel.

Elle haussa les épaules et se dirigea vers un étalage de minuscules boîtes de chaussures.

— Je sais qu'il a vingt-cinq ans et qu'il travaille depuis quatre ans dans une compagnie de livraison.

Elle remit de l'ordre dans les emballages.

— Il vit dans le quartier avec sa famille. Il a deux sœurs cadettes et un petit frère.

D'une certaine manière, Tanner se sentit soulagé d'apprendre que le jeune homme ne disposait pas d'un appartement personnel. S'il emmenait Gina chez lui, devant ses parents et trois jeunes frère et sœurs, il aurait bien du mal à lui dérober autre chose qu'un baiser.

— Maintenant, dis-moi, grand frère, que penses-tu de ma colocataire ? Elle est sympa, non ?

— Très sympa.

Gina lui adressa un sourire entendu.

— A la façon dont tu l'as regardée toute la journée, j'ai l'impression que tu la trouves mieux que sympa.

Tanner éprouva un choc en sentant son cou s'empourprer.

— Je ne comprends pas de quoi tu parles.

— Allons, Tanner !

Elle vint à lui et glissa ses bras minces autour de son cou.

— Pourquoi ne comprends-tu pas que mon indépendance, c'est aussi ta liberté ? Tu m'as donné les meilleures années de ta vie. A présent, il est temps de penser à toi.

Tanner la serra contre lui tout en s'abstenant de lui faire remarquer qu'elle n'était pas encore assez mûre pour voler de ses propres ailes. Elle n'était qu'un oisillon qu'il était bien décidé à rattraper avant qu'il ne s'écrase à terre.

Deux heures plus tard, alors que les ombres du crépuscule s'allongeaient sur la ville, il raccompagnait Gina chez elle.

— Je déteste l'idée de te savoir circuler seule dans ces rues le soir, remarqua-t-il.

— Je te l'ai expliqué : la plupart du temps, Danny m'accompagne.

— Mais quand ce n'est pas le cas ?

Elle soupira avec impatience.

— Alors, je me dépêche de rentrer, la tête haute. Tess dit que quand on ne prend pas des allures de victime, il y a peu de chances pour qu'on en devienne une. Et puis, pour te rassurer, j'ai toujours une bombe au poivre dans mon sac.

— A Foxrun, personne n'éprouve le besoin de se déplacer avec ce genre de gadget, fit-il observer.

— Forcément ! Il n'arrive jamais rien à Foxrun. C'est une agréable petite ville remplie de gens gentils mais j'ai besoin de davantage que ce qu'elle peut m'apporter.

Ils s'arrêtèrent en bas de l'immeuble. Elle leva vers son frère un regard songeur.

— Puisque je sors avec Danny, pourquoi n'inviterais-tu pas Tess à dîner ?

La suggestion parut le surprendre.

— Je croyais que tu préférais que je me tienne à distance ?

Il eut un sourire moqueur.

— Ne suspectais-tu pas une conspiration ? Tu sais, tu envisageais que je tente de la convaincre de se ranger de mon côté…

— C'est vrai que je l'ai craint. Mais, en y réfléchissant, j'ai décidé que même si vous passiez du temps ensemble, Tess et toi, vous ne représentiez pas une menace.

— Pourquoi ? demanda-t-il avec indulgence.

— Tess est la fille la plus indépendante que je connaisse. D'après ce que je sais d'elle, elle n'a jamais dépendu de personne et tout ce qu'elle a accompli, elle l'a accompli seule. Elle sait que mes envies sont proches des siennes et elle me soutiendra dans tous mes projets.

Gina sourit malicieusement à son frère.

— Même le célèbre charme de Tanner Rothman ne pourra la dresser contre moi !

Il lui retourna son sourire.

— Et si tu sous-estimais ce fameux charme ?

— Possible, répliqua-t-elle gravement. Quoi qu'il en soit, je trouvais plus drôle que tu dînes avec Tess que tout seul.

Tanner posa sur sa sœur un regard soupçonneux. Il ne croyait pas du tout à son revirement. Ne lui avait-elle pas demandé, quelques heures seulement plus tôt, de rester à l'écart de Tess ? Et maintenant, elle lui offrait sur un plateau l'opportunité de comploter avec Tess contre elle. Vraiment, il y avait du louche là-dessous.

— Je verrai…

Ils prirent l'ascenseur qui les mena au huitième étage. Curieux, songeait Tanner, comme la perspective de dîner avec Tess l'emplissait d'une joyeuse impatience.

Il suivit Gina dans l'appartement et, tout de suite, la vit. Revêtue d'une courte chemise de nuit de coton, elle était lovée sur le canapé, une pile de catalogues près d'elle, sur la table basse. Elle venait de se doucher, ses cheveux étaient encore humides et, devant son visage qui luisait légèrement, les doigts de Tanner fourmillèrent de l'envie de le caresser.

A en juger par sa tenue, pas particulièrement appropriée aux visites, elle ne s'attendait évidemment pas à ce qu'il rentre avec Gina. A la vue des pointes de ses seins soulevant le tissu léger, le désir l'envahit.

— Tanner ! s'exclama-t-elle.

En se redressant, elle prit conscience de l'indécence de sa tenue.

— Je ne m'attendais pas…

Elle s'assit finalement et posa ses pieds au sol.

— Restez allongée, pria Tanner, resté près de la porte d'entrée. Je m'en vais. Je raccompagnais juste Gina.

— J'ai un rendez-vous et Tanner s'apprêtait à t'inviter à aller au restaurant, expliqua Gina. Mais on dirait que tu as déjà dîné, ajouta-t-elle en désignant les reliefs de repas près de la pile de catalogues.

— Oui, j'ai… déjà mangé.

Tanner crut entendre une touche de déception dans sa voix ; lui-même se sentait tout désappointé.

Il se dit que c'était parce qu'il ratait ainsi l'occasion de gagner l'appui de Tess, de la persuader de renvoyer Gina et lui demander de quitter son appartement. Alors, sa sœur n'aurait d'autre ressource que de regagner Foxrun.

Tess regarda Gina.

— Tu as un rendez-vous ?

Le visage de la jeune fille s'éclaira.

— Avec Danny !

— Oh ! Gina, c'est merveilleux. Je sais avec quelle impatience tu attendais sa proposition.

Tess bondit du canapé et prit la jeune fille dans ses bras, offrant par la même occasion à Tanner une vision inoubliable de ses cuisses. Il détourna le regard et fit passer son poids d'un pied sur l'autre, luttant contre une nouvelle flambée de concupiscence.

— Eh bien, je vais vous laisser.

En entendant ces mots, les deux jeunes femmes se séparèrent. Tess se rassit, toute rouge à la pensée de l'exiguïté de sa chemise.

— Bonsoir, Tanner. Et désolée pour le dîner.

Il hocha la tête puis regarda sa sœur.

— Appelle-moi à mon hôtel quand tu seras rentrée ; que je m'endorme tranquille.

— Oh ! Tanner, vraiment…, s'écria Gina, levant les yeux au ciel.

— Ce n'est pas si grave, intervint Tess.

Remarque qui lui valut un sourire de reconnaissance de la part de Tanner.

— Très bien, très bien, je t'appelle à mon retour, dit Gina avec un soupir d'exaspération.

— Merci.

Après avoir déposé un baiser sur son front, il jeta un dernier regard à Tess, se demandant à quoi il allait occuper les heures qui le séparaient du retour de sa sœur. A dire vrai, il les aurait volontiers passées sur le canapé, en compagnie de sa colocataire.

4.

Peu après 23 heures, Tess crut entendre un bruit à la porte de l'appartement. Elle pensa tout d'abord qu'il s'agissait de Danny et Gina qui rentraient. Elle se leva. Ne voyant personne, elle colla son œil au judas et aperçut un minuscule Tanner adossé au mur du palier.

Par tous les saints, que faisait-il là ? Puis la réponse fusa dans son esprit : il attendait le retour de sa petite sœur !

Gina serait furieuse de le découvrir là.

Tess fit un crochet par la salle de bains pour revêtir un peignoir avant de revenir ouvrir la porte.

— Tanner, ne me dites pas que vous êtes là pour la raison à laquelle je pense !

— A quoi pensez-vous ?

— Que vous êtes venu épier votre sœur.

Il sourit sans vergogne.

— Quel grand mot ! Je voulais juste m'assurer qu'elle était rentrée saine et sauve.

Tess hocha la tête d'un air apitoyé.

— Vous êtes incroyable ! Entrez, au moins. Elle ne vous pardonnerait pas de vous trouver rôdant dans les couloirs.

— Etes-vous sûre que… Enfin, il est tard, je crains de vous déranger.

— De toute façon, je n'arrivais pas à dormir. Entrez, je vais préparer du café.

Comme d'habitude, elle avait une conscience aiguë de sa présence tandis qu'il la suivait à travers la salle de séjour jusqu'à la cuisine.

Elle lui désigna une chaise. Quelle présence, aussi ! Impérieuse, assurée, elle emplissait sa petite cuisine.

— Je sais que ça ne me regarde pas, dit-elle en préparant le café, mais Gina n'a-t-elle jamais eu de rendez-vous auparavant ?

— Bien sûr que si ! Elle a commencé à sortir à l'âge de dix-sept ans.

— Dans ce cas, pourquoi êtes-vous aussi inquiet pour elle ?

Quand le café commença à passer, elle se tourna vers lui.

— Gina sortait avec des garçons du pays. Je les avais vus grandir, je connaissais leur famille. De plus, ils savaient que s'ils franchissaient certaines limites, ils auraient affaire à moi !

— Perspective plutôt redoutable, non ? lança-t-elle pour détendre l'atmosphère.

Le paresseux sourire de Tanner, si séduisant, lui chavira le cœur.

— Il semblerait.

Du placard, elle tira deux tasses, bien contente de se donner une contenance en s'affairant de la sorte.

— Crème ou sucre ?

— Noir, ce sera parfait.

Elle versa du café dans les tasses puis se retourna. L'idée de s'asseoir près de Tanner l'accablait tout à coup. La table était trop petite, la cuisine tout entière trop exiguë.

— Nous serons mieux dans la salle de séjour, suggéra-t-elle.

Il se leva. Il était si proche qu'elle sentait la chaleur émaner de son corps, et elle crut que son cœur manquait un battement lorsqu'elle perçut son odeur.

— Laissez-moi les porter, dit-il en tendant la main vers les tasses.

— Non, non !

Elle se dirigea vers la salle de séjour, intensément consciente de sa présence juste derrière elle. Elle posa une des tasses sur la table basse et emporta l'autre jusqu'à un fauteuil où elle prit place. Après s'être installé sur le canapé, Tanner prit la tasse dans ses fortes mains.

— Que pensez-vous de ce Danny ? demanda-t-il.

Tess sourit.

— Je ne pense pas qu'il y ait lieu de s'inquiéter. C'est certainement un garçon très bien. Gina et lui ont commencé à se faire les yeux doux dès son premier jour de travail à la boutique, alors qu'il venait faire une livraison. Après une dizaine de jours, il a pris l'habitude de venir la chercher après son travail pour la raccompagner. C'est un vrai plaisir d'assister à leur romance.

Sourcils froncés, il but une gorgée de café.

— Gina est trop jeune pour s'engager.

Tess hésita un instant avant de hocher la tête.

— J'admets que je détesterais la voir s'engager définitivement à son âge. Il me semble important qu'une femme gagne son indépendance avant de s'impliquer dans une histoire sérieuse.

Il leva un sourcil.

— C'est ce qui se passe pour vous ?

— Je suis indépendante depuis très longtemps, répliqua-t-elle. Et je n'ai aucun désir de vivre en couple. J'aime ne compter que sur moi.

— On doit se sentir passablement solitaire, fit-il observer.

Elle pensa à l'enfant qu'elle portait peut-être. Jamais elle ne se sentirait seule avec lui.

— Je n'ai pas le temps d'éprouver ce genre de sentiment.

— A Foxrun, vous passeriez pour anormale.

Tess ouvrit de grands yeux.

— Anormale ? Mais pourquoi, grands dieux !

Il sourit.

— La plupart des femmes célibataires de Foxrun n'ont qu'une obsession : trouver un mari. Elles se moquent pas mal de leur indépendance. Tout ce qui les intéresse, c'est de fonder un foyer.

Tess éclata de rire.

— Eh bien, à mon avis, elles commettent une grosse erreur !

— Je vous ai entendue dire que vous aviez été livrée à vous-même dès l'âge de dix-huit ans. C'est très jeune.

Tess sourit.

— Si Lillian avait pu se le permettre, j'aurais été autonome à six ans !

— Lillian ?

— Ma mère.

Après avoir bu une gorgée de café, Tanner se cala plus profondément entre les coussins du canapé. Le beige du tissu formait un contraste plaisant avec sa complexion mate et ses cheveux bruns.

— Vous appelez votre mère par son prénom ?

— Quand j'ai eu dix ans, elle a insisté pour que je cesse de l'appeler « maman » ; elle ne voulait pas qu'on la sache assez vieille pour avoir une fille de mon âge.

— Ainsi, d'une certaine manière, vous avez perdu votre mère à l'âge de dix ans. Tout comme Gina

Elle lui jeta un coup d'œil surpris.

— Je n'avais pas envisagé les choses sous cet angle.

— Et votre père ?

— Inconnu au bataillon ! J'ignore même s'il est encore en vie. Ma mère et lui n'étaient pas mariés et il l'a quittée quand j'avais environ six mois. Mon enfance a été bercée par un défilé d'« oncles » en tous genres. Ma mère fait partie de ces femmes qui ne supportent pas de vivre seules.

Après avoir terminé son café, Tanner consulta sa montre puis fronça les sourcils.

— Il est minuit passé ! Qu'est-ce qu'ils peuvent bien fabriquer ?

Il se leva et se dirigea vers la fenêtre afin de scruter la rue.

— Voyons, Tanner, il était déjà 21 heures quand ils sont partis ! Le temps qu'ils se restaurent et assistent à une séance de cinéma, il sera plus près d'1 heure que de minuit quand ils rentreront.

Il se détourna de la fenêtre tout en fourrageant dans sa chevelure brune.

— Saviez-vous qu'il ne restait qu'une année à Gina pour obtenir son diplôme d'enseignement ?

— Je l'ignorais. J'aurais tellement aimé fréquenter l'université.

Elle fronça rêveusement les sourcils. Gina savait-elle vraiment à quoi elle renonçait dans son combat pour la liberté ?

Elle se leva.

— Désirez-vous une autre tasse de café ?

— Non, merci.

Il prit sa tasse et suivit Tess jusqu'à la cuisine. Là, il s'accota au plan de travail pendant qu'elle éteignait la cafetière et plaçait leurs tasses dans le lave-vaisselle.

En se retournant, elle surprit dans son regard une lueur qui fit battre son cœur.

— Vous me regardiez d'une étrange manière, dit-elle avec un rire contraint.

— Je vous prie de m'excuser.

Il s'approcha.

— Je commence à comprendre pourquoi je suis si inquiet à l'idée que Gina sorte avec un garçon.

— Pourquoi ?

Elle éprouvait le désir qu'il s'éloigne et en même temps qu'il se rapproche. L'atmosphère chargée d'électricité agissait d'une manière désastreuse sur ses nerfs.

— Parce que je sais ce qui passe par la tête d'un garçon en présence d'une jolie fille. C'est exactement ce qui me passe par la tête maintenant.

Alors qu'il effleurait sa joue de son index, le cœur de Tess se mit à cogner frénétiquement dans sa poitrine.

— Et à quoi pensez-vous ? demanda-t-elle d'une petite voix.

Il promena son doigt sur sa joue puis sur sa lèvre inférieure et Tess eut la sensation que ses genoux se dérobaient sous elle.

— Eh bien… je me demandais si cet endroit, derrière votre oreille, est sensible.

Son souffle lui caressa le visage tandis qu'il se rapprochait d'un pas.

— Je me demandais si votre peau est aussi douce et vos lèvres aussi délicieuses à goûter qu'elles en ont l'air.

— Il n'y a qu'une façon de s'en assurer, répliqua Tess, stupéfaite de sa propre hardiesse.

En entendant ce qui sonnait incontestablement comme une invitation, une lueur s'alluma dans le regard de Tanner. Sans perdre un instant, il se pencha et prit ses lèvres. Cet homme n'était pas seulement un apollon, constata Tess, c'était aussi un maître dans l'art du baiser. Sa bouche, douce et tendre au début, se fit impérieuse comme il l'enlaçait et l'attirait contre lui.

Des émotions à couper le souffle submergèrent Tess. Les lèvres de Tanner étaient un véritable volcan, sa poitrine, un solide rempart de muscles contre lequel s'écrasaient ses seins.

Leur baiser se faisant plus érotique, elle perdit toute notion de la réalité. Il la serrait de toutes ses forces et, un fol instant, elle se sentit plus en sécurité qu'elle ne l'avait été de toute sa vie. Puis il lâcha ses lèvres pour la peau délicate du dessous de l'oreille, lui arrachant des frissons de délice.

— Tess ?

La voix de Gina, dans l'entrée.

En l'entendant pénétrer dans la cuisine, Tanner et Tess s'arrachèrent à leur étreinte.

— Tanner… que fais-tu là ?

Le regard de Gina alla de Tanner à Tess puis, de nouveau, à son frère.

— Tanner venait voir si tu étais rentrée, alors nous avons bu une tasse de café en bavardant. Il en reste si tu veux. Je viens d'éteindre la cafetière ; il doit être encore chaud.

Tess sentait qu'elle bavardait à tort et à travers sans pouvoir s'en empêcher. Pourvu que ses lèvres ne soient pas trop enflées, se disait-elle. L'idée que Gina se doute qu'ils étaient en train de s'embrasser à pleine bouche l'emplissait d'embarras.

— Pas de café pour moi, décréta Gina.

Elle étouffa un bâillement derrière sa main.

— Tu vois, je suis saine et sauve, dit-elle à son frère. Tu peux donc rentrer à ton hôtel. Moi, je vais me coucher. Je vous raconterai tout demain matin.

Sur ces mots, elle les laissa debout dans la cuisine.

— Je vous avais bien dit qu'il n'y avait rien à redouter, murmura Tess en rajustant sa ceinture autour de sa taille. Je vais également au lit…

Il fallait qu'il parte. Mettre une certaine distance entre eux devenait vital. Sa bouche brûlait encore du contact de la sienne. Elle n'avait qu'une envie : recommencer, et cela l'effrayait.

— A demain, murmura-t-il.

Ils gagnèrent l'entrée.

— A demain…

A présent que l'humeur romantique de tout à l'heure s'était dissipée, elle éprouvait une certaine gêne.

A la porte, il hésita, manifestement sur le point d'ajouter quelque chose.

— Bonsoir, dit-elle pour prévenir toute sortie intempestive.

Et elle ouvrit la porte sans avoir le courage de croiser son regard.

— Bonsoir, Tess.

Il la contempla longuement avant se détourner et de gagner l'ascenseur.

Elle referma la porte derrière lui, la verrouilla et s'y adossa. Elle devait absolument se tenir à l'écart de Tanner Rothman ; il représentait une véritable menace pour cette forteresse qu'elle s'était bâtie autour d'elle dès l'enfance. Pendant qu'il la serrait dans ses bras et l'embrassait si tendrement, elle s'était sentie petite, fragile, avide d'affection. Pour cette seule raison, elle devait l'éviter à tout prix.

En retrouvant l'air de la nuit, Tanner laissa échapper un soupir. Tess. Son odeur s'accrochait à sa peau, le goût de sa bouche persistait sur ses lèvres.

Quelle monumentale erreur il avait commise en l'embrassant ! Quelle idée d'aller réveiller des hormones assoupies depuis si longtemps ! Ses soupçons s'en étaient aussi trouvés confirmés : ses lèvres étaient aussi douces et fruitées qu'il l'espérait.

En revanche, ce à quoi il ne s'attendait guère, c'était au brasier qu'avait allumé en lui leur étreinte.

En regagnant son hôtel, il fronçait les sourcils. Tess Carson représentait tout ce qu'il détestait chez une femme. Elle était farouchement indépendante, n'avait jamais connu de véritable foyer et l'idée qu'elle encourage subrepticement sa petite sœur à suivre son exemple lui déplaisait souverainement.

Et, malgré tout, il ne rêvait que de la reprendre dans ses bras et de l'embrasser encore et encore.

Il était encore dans cet état de confusion l'après-midi suivant en entrant à Petites Affaires pour bébé. Il avait attendu exprès midi, l'arrivée de Gina.

Après tout, les raisons de sa présence à Kansas City ne concernaient en rien Tess Carson, si adorable soit-elle. Ces motifs ne regardaient que sa petite sœur. Il devait concentrer son énergie sur le moyen de la ramener au ranch, pas sur celui de deviner à quel moment il pourrait de nouveau tenir Tess dans ses bras.

À l'instant où il pénétrait dans la boutique, Tess s'excusa de sortir déjeuner. Il résista au désir de s'inviter, préférant mettre à profit ces instants de solitude avec sa sœur pour intensifier sa campagne.

— Alors, cette soirée ? demanda-t-il à Gina quand la jeune femme fut sortie et qu'ils se retrouvèrent assis côte à côte derrière le comptoir.

— Fantastique ! s'exclama Gina. Nous avons vu le dernier film de Jackie Chan. C'était d'un drôle ! Nous avons ri aux larmes ! Cet homme est bourré de talent, et il a un visage qui prête à sourire rien qu'à le regarder.

— Je m'intéresse moins à ton opinion sur Jackie Chan qu'à tes sentiments envers Danny, répliqua sèchement Tanner.

Gina sourit.

— Danny est gentil et drôle et je l'aime beaucoup.

— J'espère que tu ne l'aimes pas *trop,* riposta Tanner légèrement inquiet.

S'il désirait voir Gina heureusement mariée et entourée d'enfants, il jugeait inutile de précipiter les choses.

— Ecoute, Gina, nous n'avons jamais réellement parlé des relations entre les hommes et les femmes ; enfin, tu vois…

Il cherchait si naïvement ses mots que c'en devenait presque comique.

— Tanner, je t'en prie… ne me dis pas que tu essaies d'avoir *cette* conversation avec moi !

— De quelle conversation parles-tu ?

— Tu sais bien… Je sens que tu vas me parler de roses et de choux.

Une légère rougeur couvrit les joues de la jeune fille. Pour sa part, Tanner ne se sentait guère plus à l'aise.

— J'aurais probablement dû aborder le sujet plus tôt...

— Quand j'étais en cinquième, par exemple ! Maintenant, c'est un peu tard. J'ai appris tout ce qu'il y avait à savoir grâce à la mère de Maggie Christian.

— Vraiment ?

Gina sourit à son frère.

— Je sais tout sur les maladies sexuellement transmissibles, la conception des enfants et les méthodes de prévention des maladies et des grossesses.

— Ce n'est pas ce qui m'inquiète le plus. Je veux dire, je détesterais te voir t'attacher trop vite.

Elle le considéra avec surprise.

— C'est cela qui t'inquiète ? Que je tombe amoureuse de Danny et l'épouse sur-le-champ ?

Elle secoua la tête en riant.

— Oh ! Tanner, ne te fais pas de souci pour ça. Apparemment, Tess partageait tes craintes et nous avons longuement discuté hier soir.

Tanner se détendit. Pourvu seulement que cette conversation ait remis un peu de plomb dans la cervelle de sa petite sœur.

— Crois-moi, je ne suis pas pressée de me marier. Pour tout dire, je ne suis même pas sûre de vouloir mener une vie de couple, ajouta-t-elle avec un geste plein de désinvolture.

Tanner la considéra avec horreur.

— Que veux-tu dire ?

Au nom du ciel, qu'avait raconté Tess à Gina ?

— Bien sûr que tu finiras par te marier ! C'est le désir de toute femme : un mari, un foyer, des enfants.

— Ne sois pas si vieux jeu ! s'esclaffa Gina. De nos jours, il existe pour une femme d'autres possibilités de se réaliser que de devenir épouse et mère !

Cette sortie ressemblait furieusement aux stupides propos féministes colportés par Tess la veille au soir. Tanner hésitait sur laquelle étrangler… Gina pour avoir avalé ces imbécillités ou Tess pour l'avoir encouragée dans cette voie.

Avant qu'il ait pu répliquer, une cliente passa la porte d'entrée et Gina alla au-devant d'elle. L'activité dans la boutique fut telle par la suite que Tanner n'eut pas l'occasion de demander à Tess quelles absurdités elle avait bien pu raconter à sa sœur. On aurait dit que, ce jour-là, toutes les femmes enceintes à cent kilomètres à la ronde avaient décidé de venir faire leurs achats à la boutique. Même quand l'affluence ralentissait un peu, Tess trouvait toujours à s'occuper à l'extrémité opposée de l'endroit où se trouvait Tanner. Il semblait bien qu'elle l'évitât. Peut-être regrettait-elle les sottises débitées à Gina ?

Vers 15 heures, un homme en jean et chemise de travail, une trousse à outils sur l'épaule, passa le seuil. Il salua Tess avec un grand sourire.

— Oh ! Bonjour, Mike, répondit-elle avec un sourire non moins lumineux.

— Je peux te consacrer quelques heures cet après-midi, si cela te convient.

— Parfait !

Tanner les regarda s'éloigner vers le fond du magasin. Un peu plus tard, en entendant s'élever le rire de Tess, il éprouva un drôle de pincement au cœur.

— C'est Mike Moore, expliqua Gina. Il s'occupe de la menuiserie de l'aire de jeux.

— Il est bien tard pour se mettre au travail, constata Tanner.

Sans trop savoir pourquoi, il n'aimait guère l'allure de ce blond charpentier au large sourire qui avait le pouvoir d'arracher à Tess un rire si musical.

— C'est un service que Mike rend à Tess. Il vient quand il en a terminé avec son travail.

— Et quel est son travail ?

De nouveau, le rire de Tess s'éleva.

— Laisse-moi deviner. C'est un acteur comique ?

Gina rit.

— Non ! Il est charpentier et travaille à la rénovation des immeubles du quartier. Tess et lui sont amis de longue date. Pour tout dire, j'ai l'impression qu'il a un petit penchant pour elle.

— Ce n'est pas une boutique pour enfants, marmonna Tanner entre ses dents, mais un club de rendez-vous pour célibataires.

En riant, Gina s'écarta pour aller accueillir une cliente. Tanner se dirigea alors vers le fond du magasin où Tess expliquait à Mike ce qu'elle désirait.

— Deux petites tables… genre tables de pique-nique miniatures, tu vois ? Et puis j'ai commandé un toboggan en kit, imitant une forteresse de bois.

— Tu veux donner l'impression qu'on se trouve dans un parc, constata Mike.

— Exactement.

Apercevant Tanner, Tess se hâta de faire les présentations entre les deux hommes.

— Vous êtes de passage en ville ? demanda Mike.

Tanner hocha la tête.

— Etiez-vous déjà venu à Kansas City ?

— A plusieurs reprises, mais mon dernier séjour remonte à des années.

— Dans ce cas, vous devriez demander à votre sœur de vous faire visiter la ville. Certains endroits valent le détour. La Cité des sciences, par exemple, ou le River Market ou encore la Plaza.

— Tanner ne restera pas assez longtemps pour goûter les charmes de notre ville, coupa Tess.

— Pas d'accord ! répliqua Tanner. J'adorerais profiter de mon séjour pour visiter Kansas City. Seulement, j'imagine que Tess

60

serait un meilleur guide que Gina qui ne connaît pas la ville plus que moi.

— Ce ne sera malheureusement pas possible. Je suis trop occupée pour faire du tourisme, répliqua Tess, détournant le regard.

Elle sourit à Mike.

— Maintenant, je te laisse travailler.

Et, sans attendre Tanner, elle se précipita vers le rayon des berceaux où Gina aidait une cliente âgée à faire son choix.

Tanner reprit son poste sur sa chaise, derrière le comptoir ; son regard errait pensivement sur Tess.

Elle l'évitait, maintenant, il en était certain. Etait-ce à cause du baiser ou de ce qu'elle avait raconté à Gina, il n'aurait su le dire.

Elle pouvait toujours l'éviter, tôt ou tard, il aurait une petite conversation avec elle. L'irritation s'empara de lui en repensant à sa sœur et à sa soudaine flambée de féminisme.

Tanner n'avait rien contre les féministes. Il croyait à l'égalité des sexes et comprenait le désir d'accomplissement des femmes. Seulement, il savait aussi que certaines femmes exaltent leur besoin d'indépendance non pas par égard pour leur sexe mais par pure haine des hommes.

Tess appartenait-elle à cette dernière catégorie ? Essaierait-elle de ranger Gina dans le camp des anti-mâles ? Entretiendrait-elle chez la jeune fille l'idée que les femmes vivent mieux seules ? L'encouragerait-elle à prendre son plaisir avec les hommes sans jamais s'engager dans une relation qui réclame don de soi et attention ?

Il pensa au baiser qu'ils avaient échangé. A en juger par la passion qui brûlait ses lèvres, elle n'embrassait pas comme une femme qui mépriserait le sexe dit fort…

Encore maintenant, le simple fait d'y repenser réveillait chez lui son désir. Il avait envie de la sermonner au sujet des propos tenus à Gina la veille et il avait envie de l'embrasser jusqu'à ce qu'ils soient étourdis de désir.

Mais, pour l'heure, les deux éventualités étaient hors de propos. Il ne pouvait s'empêcher de penser qu'elle évitait à dessein toute conversation et tout contact avec lui. Et, au cours de l'après-midi, aucun élément nouveau ne vint modifier son opinion.

Lorsque les vendeuses à temps partiel vinrent prendre la relève, il vit enfin l'opportunité de parler seul à seule avec Tess. Quand elle quitta le magasin, il courut derrière elle. En trois enjambées, il était à sa hauteur.

— Vous n'avez pas besoin de me raccompagner tous les soirs, dit-elle avec humeur.

— C'est important que je vous voie. J'aimerais pouvoir vous tutoyer : en êtes-vous d'accord ?

Comme Tess, méfiante, hochait la tête en signe de assentiment, il poursuivit :

— Tu m'as évité toute la journée, nous n'avons pu échanger un seul mot ! répliqua-t-il.

— Ne sois pas ridicule ! Je ne t'évite pas. D'ailleurs, de quoi veux-tu parler ?

L'attitude de la jeune femme irrita au plus haut point Tanner.

— J'aimerais savoir ce que tu as raconté à Gina hier soir.

Elle s'arrêta pour mieux le dévisager.

— De quoi parles-tu ?

Elle n'attendit pas la réponse pour se remettre à marcher, d'un pas plus vif cette fois, comme si elle avait hâte de se débarrasser de lui.

Il la rattrapa prestement.

— Je parle du fait que Gina a toujours voulu se marier et avoir des enfants mais que, après votre petite conversation d'hier soir, elle décide brusquement que ça ne l'intéresse plus !

Tess s'arrêta de nouveau et le fixa, mains sur les hanches.

— Il faudrait savoir ! Hier soir, tu craignais qu'elle ne se marie trop jeune et aujourd'hui, tu te fais des cheveux blancs parce qu'elle émet l'hypothèse de rester célibataire ! Pourquoi ne la laisses-tu

62

pas, une fois pour toutes, décider de l'orientation qu'elle veut donner à sa vie ?

— Parce que je redoute ton influence.

Tess écarquilla les yeux, ouvrit la bouche comme si elle se trouvait sur le point de parler mais la referma et tourna les talons. Une fois de plus, Tanner dut courir après elle.

— Ecoute, ce n'est pas que je te juge dissolue ou je ne sais quoi, essaya-t-il d'expliquer. C'est juste que je ne te connais pas assez pour juger si ton système de valeurs convient à Gina.

— Mon système de valeurs ?

Elle se remit en marche et ne prononça plus une parole jusqu'à la porte de son immeuble. Alors seulement, elle lui fit face. Il avait toujours trouvé les yeux bruns amicaux et engageants mais, en ce moment, ceux de Tess n'exprimaient rien de semblable.

— Tu élèves Gina depuis qu'elle a dix ans, dit-elle sèchement. Si tu te figures que je peux remettre en cause l'éducation que tu lui as donnée en une seule conversation, c'est que tu as échoué.

Elle ouvrit la porte.

— Maintenant, si tu veux bien m'excuser, six danseurs nus m'attendent chez moi. Je compte m'enivrer et coucher avec chacun d'eux parce que mon système de valeurs me dit qu'il n'y a rien d'immoral à ça !

Sur ces mots, elle s'engouffra dans les profondeurs de l'immeuble et claqua la porte derrière elle.

Interloqué, Tanner la regarda disparaître. Qu'avait-il fait, grands dieux ! Que s'était-il passé ?

5.

Tess claqua la porte de son appartement et jeta son sac sur le canapé. De sa vie elle ne s'était sentie si humiliée. De quel droit Tanner Rothman osait-il juger de sa moralité ! Au nom de quoi décrétait-il que son système de valeurs défaillant ne l'autorisait pas à fréquenter sa précieuse petite sœur ?

Il ne savait rien d'elle ! En tout cas, sûrement pas suffisamment pour juger de sa valeur morale ! Le sale individu ! A son goût, il ne repartirait jamais assez vite pour Foxrun où, avec son ego « abominablement borné », il pourrait régir son entourage selon ses règles !

Toute frémissante de colère, elle rejeta ses chaussures et se dirigea vers la cuisine. Elle mit en marche la bouilloire, espérant qu'une tasse de thé lui ferait du bien. En attendant que l'eau bouille, elle s'appuya de la hanche au plan de travail et repensa à leur conversation.

A présent, elle voulait bien admettre qu'elle avait peut-être réagi de façon excessive aux propos de Tanner. Ou peut-être à sa personnalité.

Elle s'était éveillée le matin avec la chaleur de son baiser sur les lèvres et l'envie qu'il la reprenne dans ses bras. Et elle en avait conçu une angoisse qui l'avait poussée à une attitude défensive. C'était à cause de cette réaction qu'elle l'avait évité toute la journée.

La colère provoquée par leur brève discussion sur le chemin du retour se révélait certainement disproportionnée par rapport aux faits, mais elle lui avait du moins permis de se cuirasser contre son charme et l'attirance qu'elle éprouvait pour lui.

La bouilloire se mit à siffler. Elle prépara rapidement une tasse de thé et ajouta un bonne dose de sucre pour le réconfort.

Malgré tout, même si elle avait dramatisé la situation, le fait qu'il ait pu suggérer qu'elle avait une mauvaise influence sur Gina continuait de l'irriter.

Elle jugeait vital de cultiver cette irritation. Ce serait son seul moyen de protection jusqu'à ce qu'il réintègre le ranch de Foxrun.

Ce fut presque un soulagement quand Gina téléphona pour prévenir qu'elle dînait avec Tanner et rentrerait plus tard dans la soirée. Excellente idée ! Si seulement ils parvenaient à régler leurs problèmes et que Tanner débarrasse le plancher !

A l'heure présumée du retour de Gina, Tess gagna sa chambre. Elle n'avait pas encore digéré les accusations de Tanner et n'avait aucune envie de le voir.

Le lendemain matin, en quittant l'appartement, elle fut vaguement surprise qu'il ne se montre pas. Elle acheta ses petits pains chez Johnny et continua sa route jusqu'à la boutique.

Peut-être était-il rentré chez lui, se disait-elle quelques minutes plus tard, en buvant son café accompagné de pain aux myrtilles. Peut-être avait-il accepté sa défaite et abandonné le terrain.

Curieusement, la perspective lui causa un pincement au cœur qu'elle se reprocha aussitôt. Pourquoi l'idée de ne jamais revoir Tanner Rothman lui causerait-elle la moindre déception ?

Une relation entre eux n'était pas envisageable ; elle ne voulait entretenir aucun rapport avec la gent masculine. Son enfant et son métier suffiraient largement à la combler, d'autant qu'elle trouvait Tanner autoritaire, prompt à la critique et suffisant.

Son petit déjeuner avalé, elle décida d'ouvrir la boutique en avance. On était le vendredi précédant la fête des Mères et elle s'attendait à une grande affluence ce jour-là et le suivant.

Le ciel gris annonçait la pluie, constata-t-elle avec une moue. Restait à espérer que la morosité ambiante ne découragerait pas les éventuels clients.

Quand Gina arriva à midi, des éclairs ponctués de roulements de tonnerre sillonnaient le ciel.

— Il va tomber des cordes d'ici peu ! annonça la jeune fille en franchissant le seuil.

— Avec un peu de chance, l'orage ne durera pas trop longtemps.

La boutique était vide, et Tess se félicita que Gina arrive seule.

Cette dernière jeta son sac derrière le comptoir puis dévisagea Tess avec curiosité.

— Tu étais déjà couchée quand je suis rentrée hier soir. Je n'ai pas pu te parler.

— Où avez-vous dîné ?

— Aux Jardins italiens. C'était très bon mais la clientèle est trop snob !

Elle considéra son amie d'un air intrigué.

— Je ne sais ce qui s'est passé hier entre Tanner et toi mais il a été d'une humeur massacrante tout le reste de la soirée.

Tess décida qu'elle devait avoir un bien mauvais fond car l'idée d'avoir réussi à assombrir l'humeur de Tanner la réjouissait.

— A-t-il renoncé à sa croisade pour te ramener à la maison ?

Gina eut un rire amer.

— Tanner ne renonce jamais !

Elle se rembrunit.

— Je déteste le voir se tracasser ainsi à cause de moi. Il s'est sacrifié pour moi et j'ai l'impression de le trahir en n'accédant pas à ses désirs.

— Tanner ne peut décemment considérer le fait de t'avoir élevée comme un sacrifice qui lui donnerait le droit d'exiger que tu renonces à tes rêves personnels.

— Je sais.

Gina soupira d'un air malheureux.

— C'est que je me sens si coupable de vouloir un avenir différent de celui qu'il envisage pour moi… Il ne veut que mon bien, je le sais, mais comment lui faire comprendre que nos rêves divergent ?

— As-tu essayé de le lui expliquer raisonnablement ? demanda Tess.

— A ce sujet, aucune discussion raisonnable n'est possible entre lui et moi ! J'espérais que, peut-être, tu saurais le ramener à la raison et lui faire comprendre qu'il est temps de me laisser chercher ma voie.

Tess leva les mains au ciel.

— Ah ! Ça non ! Ne compte pas sur moi pour faire comprendre quoi que ce soit à ton frère ! D'abord, il ne m'écouterait pas. Il ne m'apprécie pas tellement, tu sais.

Gina rit.

— Qu'est-ce qui te fait croire ça ? Il t'aime beaucoup, au contraire. Je le vois à sa façon de te regarder ; je ne l'ai jamais vu regarder une femme comme ça.

— Dans ce cas, tu dois avoir besoin de lunettes, répliqua Tess, les joues brûlantes.

Leur conversation se trouva interrompue par un groupe de jeunes filles qui entrèrent en courant dans la boutique pour se mettre à l'abri de la pluie qui venait de se mettre à tomber. L'après-midi s'écoula. A sa grande irritation, Tess constata que, bien qu'il ne se montrât pas, Tanner occupait ses pensées.

Elle aurait voulu demander à Gina où il était, ce qu'il faisait ; mais cela ne la regardait pas et elle redoutait de donner à la jeune fille l'impression qu'il ne lui était pas indifférent.

Car il lui était indifférent, n'est-ce pas ? Elle avait juste aimé sentir ses bras autour d'elle. Elle avait juste aimé la façon dont ses lèvres avaient pris les siennes.

L'heure de regagner son domicile était presque venue quand un taxi s'arrêta devant la boutique. Tanner en émergea, se rua à l'intérieur et s'ébroua tel un chien émergeant de l'eau. A la vue de son beau visage, le cœur de Tess bondit dans sa poitrine.

— Je pensais que tu avais pris un jour de congé, dit-il.

— Et pourquoi donc ? demanda-t-elle froidement.

Il lui adressa ce sourire mi-tendre, mi-taquin qui fit brusquement monter son taux d'adrénaline.

— Pour récupérer de ta folle nuit passée en compagnie de tes danseurs nus.

— Quels danseurs nus ? demanda Gina qui les avait rejoints près du comptoir.

— Aucune importance, répliqua Tess. Ton frère essaie juste d'être drôle.

— En réalité, j'essaie à ma façon, certes maladroite, de m'excuser pour mes propos d'hier, précisa-t-il, ses yeux bleus pleins de feu. Je n'avais pas l'intention de te blesser.

— Que lui as-tu dit ? demanda Gina dont le regard allait de son frère à Tess. Que se passe-t-il ? insista-t-elle d'un air mécontent.

— Rien qui te regarde, bébé, riposta Tanner, posant un index sur son nez.

Il reporta son attention sur Tess.

— Alors, suis-je pardonné ?

Elle hésita un instant, puis hocha la tête avec raideur. Elle voulait s'accrocher à sa rancœur, elle sentait que c'était nécessaire. Mais comment lui en vouloir quand il vous regardait avec ces beaux yeux pleins de supplication ?

— Parfait, dit-il d'un air satisfait. Et maintenant, j'ai une question à te poser. As-tu des projets concernant ta mère pour dimanche ?

Tess était toujours surprise de constater à quel point la pensée de sa mère la faisait souffrir. Cette douleur disparaîtrait-elle un jour définitivement ?

Elle secoua négativement la tête.

— Lillian quitte la ville pour le week-end.

— Et la boutique est fermée ?

— Exact.

— Dans ce cas, je propose que nous dînions tous les trois ensemble dimanche. C'est moi qui invite !

— Excellente idée ! s'écria Gina.

— Vous n'avez pas besoin de moi, protesta Tess.

— J'insiste, dit fermement Tanner. Je passerai vous prendre vers 18 heures.

— Ça me convient, dit Gina.

Tess esquissa un bref hochement de tête.

— Oh ! Et comme c'est approximativement l'heure où tu es sortie hier, j'ai demandé au taxi d'attendre pour te conduire chez toi.

Il adressa un éblouissant sourire à Tess.

— Je ne supportais pas l'idée que tu te mouilles…

— Tu n'as pas à t'inquiéter de ça. Je suis capable de me débrouiller toute seule !

Elle voulait être irritée de son arrangement. Elle n'avait besoin de personne pour prendre soin d'elle. Pourtant, tout au fond d'elle-même, le geste la touchait.

Consciente de son impolitesse, elle ajouta :

— Je te remercie de ton attention. Je vais rentrer tout de suite.

Quelques instants plus tard, installé à l'arrière du taxi, avec la pluie battant contre les vitres, elle repensa à l'invitation à dîner de dimanche.

Elle se dit qu'il n'y avait aucun mal à dîner avec le frère et la sœur. Ç'aurait été différent si elle avait dû passer du temps seule avec Tanner. Là, il n'aurait pas l'occasion de l'embrasser, ce dont, personnellement, elle se réjouissait.

Elle essaya d'imaginer la réaction de Tanner s'il apprenait qu'elle avait subi une fécondation artificielle et qu'elle avait l'intention d'élever seule son enfant. Nul doute qu'il serait outré.

Bien sûr, elle n'avait aucune raison de lui faire part de ses projets et elle n'avait pas besoin de sa bénédiction pour les mener à bien.

— Dites donc, vous comptez rester longtemps assise là ? Parce que, si vous attendez que la pluie cesse, ça peut durer longtemps !

La voix du chauffeur la tira de ses pensées. Dans le rétroviseur, elle croisa son regard.

— Je descends ! s'exclama-t-elle.

Elle se pencha par-dessus le siège et ouvrit son sac pour y chercher de l'argent. Cependant, le chauffeur balaya son intention d'un geste.

— Le monsieur a déjà réglé la course.

Tess descendit en hâte du taxi. Elle courut sous la pluie vers l'entrée de son immeuble tout en se demandant pourquoi, malgré ses réserves vis-à-vis de Tanner, un sentiment de joyeuse expectative l'envahissait à la pensée de dîner en sa compagnie…

Tanner vérifia une dernière fois son reflet dans le miroir de la commode. Le pantalon et la chemise achetés la veille semblaient coupés pour lui et il trouvait plaisant d'échanger ses habituels jean et chemise de travail contre une tenue plus sophistiquée.

Il avait essayé de se persuader qu'il achetait des vêtements neufs en l'honneur de sa mère, disparue onze ans plus tôt, cependant, en choisissant la chemise, il s'était surpris à se demander quelle était la couleur favorite de Tess.

Tess. Il s'était montré insultant l'autre soir en mettant en doute sa moralité. Il n'en avait pas eu l'intention, bien sûr, mais seul le résultat comptait.

Vendredi, elle avait accepté ses excuses ; à contrecœur, certes, il en aurait mis sa main au feu. Il espérait, au cours du dîner, parvenir à faire oublier son manque de tact.

Il consulta sa montre. L'heure était venue. Après avoir aspergé son cou d'eau de Cologne et passé une dernière fois la main dans ses cheveux, il quitta sa chambre d'hôtel.

Il avait réservé une voiture avec chauffeur pour la soirée. Elle l'attendait devant la porte.

La veille, il ne s'était pas rendu à boutique. Il avait passé la majeure partie de sa matinée au téléphone avec son contremaître afin de superviser la bonne marche du ranch. Puis, dans l'après-midi, il était parti à la recherche d'un restaurant.

Il avait trouvé l'endroit idéal, pas très loin de son hôtel. « Chez Antonio » était un endroit raffiné, avec des tables aménagées pour procurer le maximum d'intimité aux dîneurs. Le menu offrait une grande variété de plats et la carte des vins était plus qu'honorable. Après avoir réservé, il avait couru les magasins pour renouveler sa garde-robe.

Une seule ombre venait ternir le tableau : il n'honorerait pas la mémoire de sa mère. Il s'autorisait rarement à penser à ses parents : après tant d'années, leur absence le faisait toujours autant souffrir.

En ce jour de fête des Mères, pourtant, quand le restaurant de l'hôtel s'était empli de familles, les mères arborant bouquets et sourires heureux, il lui avait été impossible de ne pas penser à la sienne. Si elle s'était trouvée là, il lui aurait offert un bouquet de roses couleur aurore, ses préférées.

Le chauffeur s'arrêta devant l'immeuble de Tess.

— Je reviens, dit Tanner au chauffeur qui acquiesça d'un signe de tête.

Un instant plus tard, il frappait à la porte des deux jeunes femmes. Ce fut Tess qui vint ouvrir. A sa vue, il demeura sans voix.

Contrairement aux tailleurs qu'elle portait habituellement, sa robe, d'une couleur mordorée qui faisait briller ses yeux d'un éclat troublant, collait au plus près de son corps, révélant ses seins, sa taille svelte, ses hanches rondes.

Le décolleté en V était juste assez profond pour exciter l'imagination sans dévoiler plus que la décence ne l'autorisait.

Elle rosit délicieusement.

— Je te regarde avec un peu trop d'insistance, dit Tanner.

— C'est vrai.

— Je te prie de m'excuser. Mais il faut dire que tu le mérites. Tu as une allure terrible.

— Merci, dit-elle en lui faisant signe d'entrer. Tu n'es pas mal non plus.

— Etes-vous prêtes ? J'espère que tu as faim.

— Je meurs de faim ! Personnellement, je suis prête, mais Gina est encore dans sa chambre.

Tanner regarda sa montre.

— J'ai réservé chez Antonio. Y es-tu déjà allée ?

— Non, mais j'en ai beaucoup entendu parler. Cet établissement jouit d'une excellente réputation.

Elle jouait avec la sangle de son sac, apparemment mal à l'aise. Son regard se posait sur tout sauf sur lui.

Il se demandait comment la mettre à l'aise alors qu'il ignorait la cause de son embarras.

— C'est une belle soirée, dit-il enfin.

— Oui. Il n'y a rien de plus agréable que les soirées de printemps…

Elle le regarda enfin et lui offrit un sourire qui creusa une fossette dans sa joue gauche.

— … sauf peut-être les soirées d'automne.

— L'automne est agréable, convint-il, se demandant combien de temps ils tiendraient une conversation sur le temps.

Sur ces entrefaites, on frappa à la porte. Tess se rembrunit.

— Qui cela peut-il être ?

Elle se hâta d'aller ouvrir. Danny pénétra dans la salle de séjour.

— Bonsoir, Tess… monsieur Rothman.

Tanner regarda le jeune homme, l'esprit confus. Gina l'aurait-t-elle invité à se joindre à eux sans le prévenir ?

A cet instant, la jeune fille émergea de sa chambre. Dans sa robe jaune vif qui mettait en valeur sa beauté brune, on aurait dit un rayon de soleil. La fierté gonfla le cœur de Tanner.

— Danny nous accompagnerait-il ?

Gina le regarda d'un air surpris.

— Je ne te l'ai pas dit ?

— Quoi donc ?

— Danny m'a invité à dîner chez ses parents. Je croyais t'avoir prévenu.

Bien qu'elle offrît l'image même de l'innocence, Tanner n'était pas dupe. Pourquoi ne lui avait-elle pas parlé de ses changements de projets ? Par peur de le contrarier ?

— Cela pose-t-il problème ? demanda Danny.

Il hésita.

— Je peux téléphoner à mes parents pour annuler, si vous voulez.

— Non, non. Pas de problème.

Tanner jeta à sa sœur un regard signifiant : « Toi, ma petite, tu ne perds rien pour attendre ! »

— Dans ce cas, je suis prête, dit Gina.

Elle sourit.

— Passez un bon moment, tous les deux. Mais je ne me tracasse pas trop pour ça !

Elle glissa son bras sous celui de Danny, puis après avoir chuchoté de vagues bonsoirs, ils disparurent.

— Pour une surprise, c'est une surprise ! s'exclama Tanner. Bon, es-tu prête ?

— Ecoute, tu n'es pas obligé de me sortir, protesta Tess, posant son sac sur une chaise voisine.

Il ramassa son sac et le lui tendit.

— Pas question d'annuler ! Je n'ai rien mangé de la journée pour mieux apprécier la bonne chère chez Antonio et j'ai eu assez de mal pour obtenir des réservations !

Sentant qu'elle hésitait encore, il insista.

— Je t'en prie, Tess, accompagne-moi ! S'il est une chose que je déteste, c'est bien manger seul.

— D'accord...

Elle sourit avec espièglerie.

— Mais seulement parce que c'est chez Antonio et que j'ai toujours rêvé d'y manger !

Elle prit son sac et se dirigea vers la porte.

Tandis qu'il l'escortait vers la voiture, Tanner se demanda pourquoi il n'éprouvait pas de rancœur vis-à-vis de Gina. Autre point obscur : pourquoi était-il si content de passer la soirée en tête à tête avec Tess ce soir ?

6.

Le banquette arrière était ridiculement étroite. Cependant, quel siège n'aurait paru exigu à Tess si elle devait le partager avec Tanner ?

Il était plus beau que jamais dans son élégant pantalon bleu marine et sa chemise à fines rayures bleues et grises. Sa cuisse se pressait contre la sienne, l'odeur de son eau de toilette chatouillait ses sens. Elle n'avait pas voulu cette situation ; elle aurait infiniment préféré que Gina soit présente.

Elle serra plus étroitement son sac contre elle, essayant de se faire toute petite pour diminuer les chances de contact physique entre eux.

— Je ne comprends pas pourquoi Gina a négligé de me parler de ce dîner dans la famille de Danny, dit-il, brisant un silence inconfortable.

— Elle craignait peut-être une explosion de colère de ta part.

— Une explosion de colère ! Comme si c'était mon genre !

Elle lui jeta un regard dubitatif.

— Je ne suis tout de même pas un ogre ! Juste un grand frère incompris !

— Incompris, mon œil ! riposta-t-elle sèchement.

Le silence retomba. Tess regardait à l'extérieur, murée dans sa volonté de ne pas sentir ce courant qui passait de sa cuisse à la sienne.

— Tu sais, je n'ai pas l'intention d'empêcher Gina de vivre, reprit-il au bout d'un moment. Je lui demande simplement de différer ses projets d'une petite année. Quand elle aura obtenu son diplôme, je la soutiendrai de tout cœur dans ses entreprises.

Il sourit.

— Et c'est la dernière remarque que je ferai sur le sujet pour la soirée.

Un silence maladroit retomba. Tess jouait avec la sangle de son sac, anxieuse d'échapper à sa présence.

— Comment s'est passée ta journée de congé ? s'enquit-il.

— J'ai fait la grasse matinée ; ensuite, étant donné que ma mère était absente pour le week-end, je suis allée m'occuper de son caniche psychotique.

— Tu ne sembles guère apprécier les chiens.

— Si, bien sûr ! Seulement, Cuddles aboie, mord et geint plus que n'importe quel chien sur la terre !

Un intense soulagement envahit Tess quand la voiture s'arrêta devant le restaurant et qu'ils en descendirent.

Le maître d'hôtel se hâta vers eux et salua Tanner par son nom, ce qui impressionna vivement Tess.

— Monsieur Rothman, votre table vous attend !

— Tu as vraiment dû lui graisser la patte ! chuchota-t-elle tandis qu'ils lui emboîtaient le pas.

En souriant, Tanner posa une main sur sa taille et la chaleur de son contact sembla irradier dans tout son corps.

Le maître d'hôtel les conduisit à une table isolée sur trois côtés par un lattis de bois où grimpaient des plantes vertes. Une bougie projetant sa douce lueur ajoutait à l'impression d'intimité.

— Nous ne sommes que deux, dit Tanner alors que le maître d'hôtel tirait une chaise pour Tess.

— Très bien.

Il fit signe à un garçon de venir enlever le troisième couvert.

— Le serveur arrive, dit-il avant de s'éloigner, laissant Tanner et Tess en tête à tête.

— Bel endroit, dit Tess, regardant autour d'elle.

A présent qu'elle se trouvait assise à une certaine distance de Tanner et que de délicieuses odeurs de nourriture masquaient son parfum évocateur, elle commençait à se détendre.

— C'est vrai.

Elle sourit.

— Je parie qu'il n'y a pas de restaurant comme celui-ci à Foxrun...

Il s'adossa plus confortablement à sa chaise et lui rendit son sourire.

— Exact. Mais les restaurants de Foxrun ont leur charme.

Elle but une gorgée d'eau. Elle ne voulait pas voir la lumière des bougies allumer des éclats séduisants dans ses yeux d'un bleu profond.

— Et quel est-il ?

— C'est le genre d'endroit où tout le monde se connaît. Tous les jeudis, Millie, la patronne du Millie's Family Restaurant, confectionne une tarte aux pommes caramélisée parce qu'elle sait que j'y déjeune ce jour-là.

— Et tu aimes la tarte aux pommes caramélisée ?

— Je l'adore ! Ma mère en préparait spécialement pour moi.

Son sourire s'évanouit ; il prit sa serviette et la déplia sur ses genoux.

A ce moment, la serveuse s'approcha.

— Désirez-vous un apéritif ?

— Rien pour moi, dit Tess.

— Un verre de vin ne te tente pas ?

Elle secoua la tête.

— Non, merci.

Elle désigna son verre d'eau.

— Ce sera parfait.

— Je prendrai un scotch *on the rocks*, dit Tanner.

Tess était contente qu'il n'ait pas insisté. Un verre de vin lui aurait fait le plus grand plaisir mais elle devait tenir compte du fait qu'elle était peut-être enceinte.

La serveuse apporta sa boisson à Tanner puis prit leur commande. Quand elle s'éloigna, Tanner laissa son regard errer sur les convives peuplant la salle. Tess en profita pour l'examiner.

Ce soir, il ne restait plus grand-chose du rancher. Dans ses vêtements bien coupés, il aurait pu passer pour un banquier, un homme d'affaires ou un agent de change ; une seule chose était certaine : il arborait l'insolente assurance de celui qui a réussi dans la vie.

En même temps, elle décela une certaine tristesse dans son regard.

— C'est une journée pénible pour toi, murmura-t-elle.

Il lui sourit.

— C'est vrai. Quand je vois tous ces gens qui fêtent leur mère, la mienne me manque encore plus.

— Parle-moi d'elle, demanda-t-elle, curieuse d'en savoir plus long sur la femme qui l'avait élevé.

Une expression de tendresse se répandit sur ses traits et en gomma les aspérités, le rendant aux yeux de Tess encore plus séduisant. Il but une gorgée de scotch puis reposa son verre et le fit tourner dans ses grandes mains.

— Elle s'appelait Mariah et c'était d'après moi la plus belle femme de la terre. Elle sentait bon, et elle aimait rire et chanter. Elle avait la passion des roses ; elle en cultivait dans un grand jardin exposé au sud. Dès que la brise méridionale soufflait, elle ouvrait les fenêtres et le parfum des roses embaumait la maison.

— Quelle merveille…

— Je n'étais pas le seul à l'admirer. Elle a été une des premières Miss agriculture de Foxrun.

Tess le dévisagea avec curiosité.

— Miss agriculture ? Qu'est-ce que c'est exactement ?

— Une grande foire se déroule une fois l'an à Foxrun et, à cette occasion, une jeune femme est élue Miss agriculture. C'est elle qui représentera le comté tout au long de l'année dans toutes sortes d'événements. Gina était la Miss agriculture de l'an passé.

Tanner sourit.

— Ça paraît sans doute désuet mais c'est une bonne occasion pour se divertir.

— En effet, ce doit être amusant. Ta mère travaillait-elle ?

— Elle était femme au foyer, ce qui représentait un gros travail.

— Elle était donc du genre traditionnel.

Quelque part, la nouvelle ne surprenait pas Tess. Il était facile de deviner que Tanner avait été élevé par des parents conservateurs.

— Définitivement traditionnelle !

Il but une nouvelle gorgée de scotch puis fixa le liquide ambré, comme si les souvenirs de sa mère gisaient dans son verre.

— Elle aimait s'occuper de nous, cuisiner nos plats préférés, décorer la maison avec des fleurs fraîches et des objets qui embellissent un intérieur.

— Elle ne s'occupait donc pas au-dehors…

— Non.

Il sourit, la lueur d'amusement revenue dans son regard.

— Selon toutes apparences, le métier d'épouse et de mère la comblait.

— Ça explique tout ! s'exclama Tess.

Un sourcil brun se leva.

— Ça explique quoi ?

— Ça explique pourquoi tu détestes les femmes qui travaillent. Tu es sans doute un de ces Néandertaliens qui s'imaginent qu'une femme doit se balader pieds nus et perpétuellement enceinte !

Il se pencha et, malgré les odeurs de nourriture qui imprégnaient l'atmosphère, elle perçut son parfum. Il était propre, rafraîchissant, légèrement épicé et terriblement attirant.

— Pas vraiment, mais je fais certainement partie de cette catégorie d'hommes qui font de leur mieux pour perpétuer l'espèce…

Sous l'impact de sa voix basse, langoureuse, Tess eut la sensation de recevoir un coup au creux de l'estomac.

Il se pencha de nouveau et la contempla avec amusement.

— Ceci, bien sûr, si je décidais de me marier, précisa-t-il.

Cet homme avec son regard diaboliquement troublant et sa voix hypnotique ferait fondre un iceberg…, pensa Tess.

Sur ces entrefaites, la serveuse apporta leurs salades et une corbeille de petits pains moelleux.

— Parle-moi de Lillian, demanda Tanner quand elle les laissa de nouveau seuls. Tu m'as dit l'autre jour qu'elle aurait apprécié que tu prennes ton indépendance à six ans. Que voulais-tu dire ?

Tess joua du bout de sa fourchette avec un morceau de tomate.

— Contrairement à la tienne, ma mère n'éprouvait aucun plaisir à materner ou à s'occuper de la maison.

Combien de fois Tess ne s'était-elle entendu intimer : « Sauve-toi ! », ou bien : « File dans ta chambre ! » Ou encore : « Quand donc cesseras-tu de te fourrer dans mes jambes ! » Sa mère était en permanence soit sortie, soit occupée, ou alors elle dormait.

Tess piqua le morceau de tomate du bout de sa fourchette et le porta à sa bouche.

— Travaillait-elle à l'extérieur ?

Tess hocha la tête.

— Oui, mais elle ne conservait jamais longtemps un emploi. Elle s'acharnait à mélanger travail et plaisir. Il fallait toujours qu'elle entretienne une liaison avec un collègue ou son patron et quand la liaison prenait fin, il ne lui restait plus qu'à quitter sa place… Elle me faisait un peu de peine.

— Pourquoi ?

Tess reposa sa fourchette puis, relevant la tête, croisa le regard de Tanner.

— Ses rapports avec les hommes ont toujours eu quelque chose de pathétique. On dirait que si elle ne partage pas sa vie avec un compagnon, elle n'existe plus. Quand elle n'a pas d'aventure, elle passe ses journées à ruminer au fond de son lit.

Tanner étendit le bras à travers la table et posa une main sur la sienne.

— Tu as dû passer des moments difficiles. Les enfants ont besoin de croire que rien ne compte autant qu'eux aux yeux de leurs parents.

Pas aussi difficiles que de sentir son chaud regard la caresser et sa main légèrement calleuse envelopper la sienne. Elle haussa les épaules et lui retira sa main.

— Comprends-moi bien, je ne considère pas avoir eu une enfance malheureuse. Je n'ai été ni battue ni violée.

Elle ramassa sa fourchette et baissa les yeux sur son assiette, mal à l'aise sous la tendresse de son regard.

— Assez sur moi, parle-moi plutôt de ton enfance. A quoi ressemblait ton père ?

Elle ne voulait pas penser à Lillian plus longtemps ; plus important, elle voulait que Tanner cesse de poser sur elle ce regard si troublant.

Tanner changea de position sur sa chaise. Le peu que lui avait confié Tess sur ses relations avec sa mère le touchait beaucoup. Elle n'avait pas fait allusion à sa détresse d'enfant négligée mais il en avait senti l'écho vibrer dans sa voix et, fait surprenant, l'espace d'un instant, il avait éprouvé le désir de se lever et de la prendre dans ses bras pour tenter de dissiper le chagrin qu'elle s'efforçait courageusement de dissimuler.

— Mon père était un homme paisible, répondit-il. Il travaillait dur et n'a pas joué le même rôle dans nos vies à Gina et moi que notre mère. Mais il était profondément bon ; il adorait maman et nous était tout dévoué.

— Ils t'ont magnifiquement élevé, dit-elle. Peu de jeunes hommes de vingt et un ans auraient accepté de gaieté de cœur la responsabilité d'une petite sœur.

Il haussa les épaules.

— Je n'avais pas le choix. Nous n'avions pas de famille, ni grands-parents, ni oncle, ni tante qui auraient pu s'occuper de Gina ; l'idée de la voir placée dans un foyer me révulsait. C'est pourquoi, quand j'ai appris la mort de mes parents, j'ai plié bagages et suis rentré à la maison.

— Où étais-tu ?

— A Lawrence, en première année d'université.

Il lui sourit.

— Ne me regarde pas comme ça. Je sais ce que tu penses ; tu te figures que si je tiens tellement à ce que Gina termine ses études c'est parce que, d'une certaine manière, je vis ma jeunesse par procuration à travers elle.

Quand elle sourit, son adorable fossette se creusa dans sa joue.

— C'est exactement ça !

— Eh bien, c'est faux.

Il s'interrompit le temps que la serveuse les débarrasse de leurs assiettes et dispose leurs plats devant eux.

— Je ne vis pas par procuration à travers Gina, reprit-il quand ils furent seuls, parce que je n'ai pas l'impression d'avoir gâché ma jeunesse. En abandonnant mes études et en prenant en charge l'éducation de Gina et la direction du ranch, je ne me suis pas sacrifié. D'ailleurs, l'université, c'était une idée de mes parents ; pour ma part, je désirais plus que tout au monde travailler sur la ferme.

— Pourquoi alors ne peux-tu accepter l'idée que Gina se réalise dans le métier de vendeuse ?

— Je peux l'accepter.

Il prit sa fourchette et son couteau et s'apprêta à couper un morceau de son steak juteux.

— Mais si elle termine ses études et obtient son diplôme, elle aura du moins une porte de sortie pour le cas où elle changerait d'avis.

Il sourit.

— Mais je croyais que nous avions décidé de ne plus parler de Gina ce soir.

— Tu as raison…

Durant quelques minutes, ils s'absorbèrent dans la dégustation de leur repas puis commentèrent la qualité de la nourriture.

— Est-ce que tu cuisines ? demanda-t-il.

Elle sourit et il fut de nouveau confondu par sa grâce. Il essaya de ne pas trop s'attarder sur son décolleté qui offrait la divine vision de la naissance de ses seins.

— Je parie que tu t'attends à ce que je réponde par la négative ! répliqua-t-elle, les yeux brillants de malice. Tu t'imagines que je suis juste capable de réchauffer des plats surgelés. Eh bien, tu te trompes ! J'ai commencé à cuisiner très tôt et je me suis vite aperçue que j'adorais ça ! Seulement, je n'ai pas toujours de temps à consacrer à la préparation des repas. Et toi ? Es-tu bon cuisinier ?

— Certainement ! Je connais plus de plats à base de pâtes et de fromage que personne au monde !

Elle éclata d'un rire mélodieux qui fit vibrer une corde sensible en lui.

— Si je comprends bien, la cuisine n'est pas ton fort.

— Pas vraiment.

Il fixa sur elle un regard intense.

— Mais il existe d'autres domaines dans lesquels je considère que j'excelle. Veux-tu que je les énumère ?

Il eut le plaisir de la voir rosir.

— Monsieur Rothman, flirteriez-vous avec moi ?

— Possible…

Il fut ravi de la voir rougir de plus belle. Il se rendit compte qu'il frémissait d'une sourde impatience depuis l'instant où elle lui avait ouvert sa porte. La lumière des bougies lui était clémente. Elle faisait étinceler ses beaux yeux et réchauffait sa peau.

— Pourquoi voudrais-tu flirter avec moi ? demanda-t-elle, évitant son regard.

— Pourquoi ne le voudrais-je pas ?

Elle le regarda. Il se pencha et prit sa main à travers la table.

— Tu es une jolie femme et, en homme normalement constitué, je te trouve désirable.

— C'est ridicule ! s'exclama-t-elle en lui arrachant sa main. Tu ne me connais pas ; tu ne m'apprécies même pas !

Son souffle, qui s'était légèrement accéléré, prouvait qu'elle n'était pas insensible à son contact.

— Aucun rapport avec le désir !

Devant son regard outragé, il rit.

— C'était une plaisanterie.

Il reprit sa fourchette sans cesser de la dévisager.

— Tu as raison, je te connais mal. Mais de là à dire que je ne t'apprécie pas...

— Enfin, je ne vois pas pourquoi tu me ferais la cour.

— Pourquoi pas ?

— Parce que je ne suis pas la femme des aventures sans lendemain et que tu repars bientôt pour Foxrun.

Elle lui jeta un regard de défi.

— D'ailleurs, sans vraiment te connaître, je ne suis pas sûre non plus de t'apprécier.

Tanner rit, surpris du tressaillement que lui causaient ces paroles. Il y avait bien longtemps qu'une femme ne l'avait provoqué.

— Voyons si je peux remédier à ça !

— N'y compte pas ! riposta-t-elle sèchement.

Il sourit.

— Parle-moi donc de tes petits amis.

— Ne sois pas ridicule. Une des premières règles qu'apprend une femme est de ne jamais parler de ses ex quand elle est avec un homme !

— Vraiment ? Et qui la lui enseigne ?

— C'est inscrit dans ses gènes !

Il rit. Durant un moment, ils évoquèrent les gens qu'ils avaient connus. Tanner lui parla de Sally, une fille qu'il avait fréquentée à l'université et qu'il envisageait autrefois d'épouser.

Cependant, quand elle avait appris qu'il se chargeait de l'éducation de sa sœur, elle avait brusquement perdu tout intérêt pour lui. Et, bien sûr, ensuite, il avait eu peu de relations féminines ; il était bien trop occupé pour ça.

— A part mes danseurs nus, je n'ai pas connu beaucoup d'hommes, dit-elle.

Il éclata de rire.

— Pourquoi ?

Elle haussa les épaules, ce qui lui offrit une vision fort plaisante de la courbe de ses seins.

— Depuis mes quinze ans, j'ai accumulé les jobs, épargnant centime après centime pour le jour où je pourrais ouvrir ma boutique. Entre l'école et le travail, je n'avais guère de temps à consacrer aux sorties.

Jamais personne ne s'était occupé de Tess, se rendit-il compte. A sa connaissance, sa mère ne lui avait jamais vraiment porté d'attention. L'idée qu'elle ait travaillé aussi dur à un âge aussi tendre lui arracha un sursaut de révolte, et son désir pour elle se trouva tempéré par une bouffée de tendresse.

— Et Mike ? Le type qui accomplit des travaux de menuiserie pour toi. Gina pense qu'il pourrait y avoir quelque chose entre vous.

Tess rejeta la tête en arrière et éclata de rire.

— Gina est à l'âge où l'on voit partout des histoires d'amour ! Mike et moi sommes juste amis. Il sort avec la même fille depuis que je le connais et ils viennent d'avoir un enfant. En fait, il travaille pour moi en échange d'un crédit dans la boutique.

Le soulagement qui submergea Tanner le surprit par son intensité. Que lui importait pourtant que Tess ait un faible pour son beau menuisier ? Ce n'était pas comme s'il envisageait une histoire avec elle.

Ils passèrent ensuite à des sujets plus banals, le temps, les attractions touristiques qu'offrait Kansas City, la nouvelle folie du tatouage qui secouait le pays.

— J'y ai songé moi aussi, dit Tess. Je voulais me faire tatouer un papillon sur la cheville.

Tanner ouvrit de grands yeux.

— Qu'est-ce qui t'a fait changer d'avis ?

Elle porta sa serviette à sa bouche avant de la reposer sur ses genoux.

— Outre ma crainte de la douleur, je n'ai pas d'argent à jeter par les fenêtres.

— L'argent compte beaucoup pour toi, fit-il observer.

Il croyait savoir pourquoi. En femme d'affaires froidement calculatrice, Tess était motivée par le seul appât du gain.

Elle but une gorgée d'eau puis fronça les sourcils.

— En fait, oui et non. L'argent est important en ce qu'il me permet de payer mon loyer, d'acheter mes fournitures et de régler mes factures. Mais il s'agit d'autre chose.

Elle s'interrompit un instant et reprit une gorgée d'eau avant d'esquisser un sourire dont la mélancolie émut le cœur de Tanner.

— Ma mère m'a toujours répété que je ne réussirais à rien dans la vie. Chaque fois qu'elle était malheureuse, elle me disait des choses blessantes. Mais au lieu de me replier dans le chagrin, je me montrais à chaque fois plus déterminée à creuser mon trou dans la vie de manière à ne dépendre de personne.

— Avoir besoin des autres n'est pas nécessairement une mauvaise chose, protesta Tanner.

A ce moment, la serveuse vint leur demander s'ils désiraient un dessert.

— Pas pour moi, dit Tess. C'était parfait comme ça.

— Pour moi non plus.

La serveuse posa la note sur la table.

— Es-tu prête à partir ? demanda Tanner.

Tess hocha la tête. Tanner régla la note puis tous deux quittèrent le restaurant. Comme le chauffeur roulait vers l'immeuble de Tess, Tanner réfléchissait à tout ce qu'il avait appris concernant la personnalité de la jeune femme. Elle était plus humaine qu'il ne l'avait d'abord cru. Le peu qu'il avait appris effaçait l'image de l'affairiste dépourvue de cœur.

Et puis, elle avait beau se poser en femme forte et indépendante, sa vulnérabilité se lisait à certains moments dans son regard, dans le léger tremblement de ses lèvres.

— Merci, dit-elle à Tanner comme la voiture s'arrêtait en bas de chez elle. C'était un délicieux repas.

Il n'avait aucune envie que la soirée s'achève. Ils descendirent de voiture et il l'accompagna jusqu'à la porte.

— Il est tôt encore. Ne m'inviteras-tu pas à boire un café ?

Il la vit hésiter.

— Je ne sais pas…

Elle consulta sa montre.

— Juste une petite tasse. Je promets de ne pas m'attarder.

Elle tergiversa encore quelques instants avant de hocher la tête.

— D'accord. Une tasse de café rapide.

« Et peut-être un ou deux baisers », se disait Tanner en la suivant. Jamais il n'avait rencontré femme qui, à son avis, méritât plus d'être embrassée que Tess Carson.

7.

Tess n'avait aucune intention de l'inviter à entrer. Cependant, après le délicieux repas qu'il venait de lui offrir, elle ne se sentait pas le droit de lui dénier ce petit plaisir.

Tandis que l'ascenseur s'élevait, elle se sentit de nouveau écrasée par sa présence. Elle sentait son regard sur elle mais gardait le sien rivé au tableau lumineux qui indiquait la position de l'engin.

Lorsque ce dernier atteignit le huitième étage et que les portes s'ouvrirent, Tanner posa une main sur sa taille. Et, à travers le tissu de sa robe, elle eut la sensation que ce banal contact la brûlait.

Quand ils arrivèrent à sa porte et qu'il laissa retomber sa main, un soupir de soulagement lui échappa. Elle sortit ses clés de son sac et se mit en demeure d'ouvrir sa porte.

— Laisse-moi faire, dit-il en les lui prenant doucement des mains.

— Quel gentleman !

Elle essayait de plaisanter pour chasser la tension qui montait en elle.

— Il y a des moments où se montrer gentleman paie et d'autres où il vaut mieux se conduire en goujat…

La lueur dans son regard accentua sa tension. « Une rapide tasse de café », se rappela-t-elle. Que Tanner et elle se retrouvent seuls dans l'appartement n'impliquait pas qu'ils fassent autre chose que de boire un café en bavardant.

Cependant, il y avait cette expression dans son regard qui la faisait frémir intérieurement.

Après avoir ouvert la porte, il lui rendit ses clés.

— Après toi.

Elle rentra dans l'appartement, jeta son sac sur un fauteuil et lui désigna le canapé.

— Installe-toi pendant que je prépare le café.

Elle se dirigeait déjà vers la cuisine quand elle eut la surprise de se sentir happée par le poignet.

— J'ai changé d'avis à propos du café, murmura-t-il.

Comme il se rapprochait, la bouche de Tess se dessécha, son cœur se mit à battre si violemment qu'elle ne douta pas qu'il l'entende.

— Tu préférerais du thé glacé ? Ou bien de la limonade. Si tu veux, j'en prépare un pichet.

Elle ne pouvait s'empêcher de parler à tort et à travers.

— Bien sûr, tout le monde n'aime pas la limonade. C'est pourtant rafraîchissant par les chaudes journées d'été.

Il eut un sourire assuré, plein de charme, qui lui donna la chair de poule.

— Je ne veux ni café…

Il lâcha son poignet pour lui prendre la taille.

— Ni thé…

Sa voix était grave, profonde, son souffle tiède sur son visage, parfumé d'une pointe d'odeur de scotch. Sa main lui caressait doucement le dos.

— Ni limonade…, continua-t-il, les yeux brûlants de fièvre. Je te veux juste, toi.

— Mais tu réclamais du café ! s'exclama Tess d'une voix suraiguë. Un gentleman ne force pas la porte des dames sous de faux prétextes !

— A vrai dire, ce soir, je me sens beaucoup plus dans la peau d'un goujat que d'un gentleman…

Et, sans laisser à la jeune femme le temps de protester, il prit ses lèvres.

Il se produisait exactement ce que Tess avait redouté. Le souvenir de leur premier baiser la hantait et, comme il la serrait plus étroitement contre lui, elle dut s'avouer qu'elle n'aurait pas la force de se priver des délices d'un second.

Ce qui avait été, au début, la rencontre de deux bouches devint un exercice d'une brûlante sensualité qui remplit Tess d'émoi.

Ce n'était pas seulement le plaisir du baiser qui la faisait vibrer, mais également celui de se sentir en accord avec elle-même. Cette soirée avait modifié le regard qu'elle portait sur Tanner.

Au départ, elle se défendait de l'apprécier. Elle tenait à s'accrocher à son image d'être débordant d'arrogance, tyrannique et sans autres qualités pour contrebalancer tant de défauts rédhibitoires. Malheureusement, il possédait juste assez d'arrogance pour plaire et, s'il se montrait indéniablement autoritaire, elle se rendait compte que c'était par affection et désir de protection de sa sœur.

Cependant, comme il se remettait à lui caresser le dos, elle oublia de peser ses bons et ses mauvais côtés pour se laisser bercer par le plaisir qu'il lui dispensait.

Elle se noyait dans son baiser, s'anéantissait dans son étreinte. Une petite voix lui chuchotait bien qu'elle aurait dû mettre immédiatement fin à cette folie, qu'il n'y avait aucun avenir là-dedans. Mais c'était justement cette idée qui la faisait consentante dans ses bras. Puisque, de toute façon, elle n'engageait pas son avenir, pourquoi ne pas savourer ces instants de bonheur ?

Sa vie était toute tracée devant elle, et elle n'incluait pas la présence permanente d'un homme. Seulement, l'homme qui la serrait en cet instant dans ses bras, elle le désirait, juste pour quelques heures.

— Tess... oh ! ma douce, murmura-t-il, ses lèvres glissant le long de son cou. Depuis que nous nous sommes embrassés je ne pense plus qu'à recommencer...

— Moi aussi, reconnut-elle.

La sensation de ses lèvres dans son cou lui coupait la respiration. Elle renversa la tête en arrière pour lui permettre de l'embrasser plus commodément.

— Je dois avouer que mes fantasmes allaient au-delà d'un simple baiser, chuchota-t-il.

L'aveu alluma un brasier chez la jeune femme.

— Les miens aussi.

Elle ne put en dire davantage ; déjà la bouche de Tanner reprenait la sienne, suscitant en elle des ondes de plaisir. Il la tenait si serrée que ses seins s'incrustaient dans sa poitrine et que leurs cuisses se mêlaient. Les mains de Tanner glissèrent jusqu'à ses hanches qu'il empoigna dans un geste si plein de sensualité qu'elle frémit de la tête aux pieds. L'évidence de son désir était là, et elle le désirait aussi. Même s'il existait de multiples raisons pour ne pas s'abandonner à la tentation, c'était ainsi.

Sans cesser de l'embrasser, il l'attira vers le canapé ; elle sentait les battements de son cœur affolé répondre aux siens. Et de savoir qu'elle le troublait ainsi renforçait son trouble.

Les mains de Tanner se dirigèrent vers son dos. Tess retint son souffle en entendant le bruit métallique de la fermeture Eclair qui glissait et l'air froid qui s'infiltrait au creux de ses reins.

Il lâcha ses lèvres le temps de découvrir ses épaules. Elle retint sa robe contre sa poitrine, ne sachant trop jusqu'où elle souhaitait poursuivre. Toutefois, en croisant son regard d'un bleu si intense, elle y lut non seulement la passion mais aussi une tendresse débordante qui comblait en elle un manque dont elle ignorait jusque-là l'existence. Avec un soupir, elle laissa sa robe glisser à ses pieds. Elle était maintenant devant lui en slip et soutien-gorge de dentelle. Son cœur tambourinant avec un bruit assourdissant dans ses oreilles, elle enjamba la flaque de tissu.

Elle se dirigeait vers le canapé quand elle se rappela que Gina pouvait rentrer d'un moment à l'autre. Elle ramassa alors sa robe et, sur des jambes incertaines, s'achemina vers sa chambre.

— Tess ?

La voix de Tanner tremblait d'un désir qui fit vibrer chaque atome de son corps. Elle savait qu'il lui laissait l'opportunité de changer d'avis car, dès l'instant où ils franchiraient le seuil de sa chambre, il ne serait plus question de revenir en arrière.

Mais elle ne voulait pas revenir en arrière.

Avec des mains tremblantes, elle ouvrit la porte et pénétra dans la pièce. Elle fut contente d'avoir fait le ménage le matin même et de la trouver en ordre. Tanner entra juste derrière elle. Comme il tendait la main vers l'interrupteur, elle retint son geste ; le clair de lune qui inondait la pièce lui semblait bien suffisant.

— Tu es si belle…, chuchota-t-il en la prenant dans ses bras.

Tanner caressait ses épaules tout en l'attirant à lui. Elle s'écarta juste assez pour atteindre les boutons de sa chemise et, malhabilement, entreprit de les défaire. Elle voulait sentir sa poitrine nue. Il l'aida en commençant par le bas tandis qu'elle s'attaquait aux boutons supérieurs. Quand sa chemise s'ouvrit, il la fit glisser de ses épaules puis, reprenant Tess contre lui, l'entraîna vers le lit.

Tout en l'étreignant, il lui murmurait des mots tendres, des mots fous. Quand il écrasa sa bouche sur la sienne, elle écarta docilement les lèvres. Elle était perdue… perdue dans son baiser ; la chaleur de sa peau, le contact de ses mains légèrement rugueuses la grisaient.

Peu importait que l'aventure soit vouée à l'échec. L'avenir ne lui importait plus ; elle ne désirait que l'instant présent. Le reste de son existence, elle l'affronterait seule, sans aucun problème.

*
* *

Tanner n'avait jamais caressé une peau si douce, et ces petits sons que Tess émettait quand il promenait ses doigts sur sa gorge, le creux de son cou, ses seins couverts de dentelle le ravissaient.

Pendant qu'il poursuivait avec ses lèvres l'exploration de sa bouche, de sa gorge, ses doigts tâtonnèrent vers le renflement provocateur des seins.

Le désir l'embrasait, il voulait la posséder, corps et âme. La lumière du clair de lune baignait ses traits d'une incommensurable douceur et sa beauté lui allait droit au cœur.

Le regard embrumé de Tess disait éloquemment qu'elle avait cessé de réfléchir et s'était réfugiée dans l'univers des sensations. Il brûlait d'envie de lui ôter ses derniers vêtements et de savourer ses seins nus, et pourtant, quelque chose le retenait d'agir ainsi.

Pour une mystérieuse raison, les paroles de Tess revenaient le hanter. Elle avait affirmé ne pas être la femme des aventures sans lendemain. Or, s'ils faisaient l'amour, ce serait s'autoriser à prendre du bon temps sans réfléchir aux conséquences. Et il était plus que certain qu'elle le regretterait dès le lendemain.

Il essaya d'étouffer la voix de son irritante conscience. En vain. Et elle finit par avoir raison de son désir. Aussi absurde que cela puisse paraître, il aimait trop Tess pour lui faire l'amour.

— Tess…

Il murmura son prénom en effleurant tendrement sa joue. Elle la lui tendit comme un chat quêtant une caresse.

— Si nous agissons ainsi, tu me détesteras demain matin, dit-il dans un souffle.

Elle le regarda d'un air incertain.

— Que… que veux-tu dire ?

Il sourit. Pourvu seulement qu'il ne lui fasse pas plus de mal en interrompant leurs ébats qu'en continuant. Il la prit par la main pour l'obliger à s'asseoir.

— Tu n'imagines pas comme j'ai envie de toi. Malheureusement, je pressens que passer à l'acte serait une erreur.

Malgré la relative pénombre de la pièce, il vit les joues de Tess s'embraser.

— Je… je ne sais à quoi je pensais ! s'exclama-t-elle.

Et, bondissant hors du lit, elle se rua sur sa robe.

— Tu n'as aucune raison de te sentir gênée, dit-il doucement. Nous nous sommes laissé emporter par nos pulsions, voilà tout.

Il se leva à son tour.

— J'ignore ce qui m'a pris, marmonna-t-elle en se rhabillant.

Ses joues étaient toujours écarlates ; elle passa une main dans ses cheveux sans le regarder.

— J'ai certainement ma part de responsabilité, dit-il en plaisantant.

Mais elle ne sourit pas. Il vint poser ses mains sur ses épaules pour la forcer à le regarder.

— Je sais que la situation est embarrassante, Tess, mais ce serait encore pire si nous avions continué.

— Tu as absolument raison. Et je te remercie de m'avoir remis un peu de plomb dans la cervelle.

En souriant, il l'aida à remonter sa fermeture Eclair.

— J'aimerais dire que j'en suis satisfait, mais c'est faux. J'aurais été infiniment plus heureux si j'avais fait taire la voix de ma conscience.

Il la lâcha pour ramasser sa chemise.

— Et maintenant, j'aimerais vraiment boire une tasse de café.

Elle aurait évidemment préféré lui voir vider les lieux le plus vite possible ; mais il savait aussi que, s'il partait maintenant, durant toute la fin de son séjour à Kansas City, le souvenir de ces instants se dresserait entre eux.

— Je te promets de partir tout de suite après.

Elle hocha la tête. Ensemble ils quittèrent la chambre et se dirigèrent vers la cuisine. Tanner s'assit à la table pendant qu'elle préparait le café. Un silence gêné s'abattit sur eux.

Quand l'odeur du café se répandit dans la cuisine, elle se tourna vers lui sans toutefois le regarder.

— Je suppose que tu ne me croiras pas si je te dis que, d'habitude, je n'agis pas ainsi.

— Je te crois, Tess.

Et c'était vrai. Durant ces quelques jours, il avait pu constater que Tess n'était pas cette citadine délurée qu'il avait imaginée.

Du placard, elle tira deux tasses. En la voyant s'étirer, son désir resurgit et il regretta presque que le gentleman ait pris le pas sur le goujat.

Mais l'instant de grâce était passé ; tout ce qu'elle avait à lui offrir maintenant, c'était du café. Elle plaça la tasse devant lui, toujours sans le regarder, puis s'installa avec la sienne à l'opposé de la table.

Il se rembrunit, ne sachant comment dissiper la tension qui régnait entre eux. Il aurait voulu la voir sourire, voir sa fossette se creuser dans sa joue, tout sauf ce silence.

— J'ai vécu des situations pires que celle-ci, dit-il enfin.

Elle le considéra avec curiosité.

— En quelles circonstances ?

— Jenny Malcolm était la plus jolie fille de notre classe de sixième et j'avais le béguin pour elle. Un jour, au déjeuner, comme elle parlait de son admiration pour les toreros, je l'ai invitée à venir un après-midi à notre ranch avec le secret dessein d'affronter notre taureau.

Tess reposa sa tasse, les yeux brillants.

— N'était-ce pas dangereux ?

— Si, mais quand le cœur parle, un garçon de onze ans ignore le danger !

Il se renfonça dans son siège, tout réjoui de voir l'animation revenue dans le regard de Tess.

— Cet après-midi-là, Jenny est arrivée avec quelques amies et nous nous sommes rendus au pâturage où paissait le taureau.

— T'étais-tu muni d'une cape rouge ?

— Non. Je m'étais contenté du caleçon rouge de mon père.

Il fut récompensé par le rire sonore de Tess et son désir refleurit de plus belle.

— Quoi qu'il en soit, je suis rentré dans le champ sous les regards de Jenny et de ses copines, juchées sur la barrière, et j'ai agité le caleçon devant ce tas de muscles furibond.

— Et que s'est-il passé ? demanda-t-elle, penchée en avant, toute gêne envolée.

— Le taureau m'a chargé, j'ai tourné les talons et me suis enfui à toutes jambes. Mais, bien sûr, je n'ai pas réussi à le distancer et il a planté ses cornes dans le fond de mon pantalon… Et je me suis retrouvé les fesses à l'air devant la femme de ma vie.

Tess porta une main à sa bouche, ce qui ne l'empêcha pas d'éclater de rire.

— Tu enjolives l'histoire, accusa-t-elle.

Il leva une main solennelle.

— Parole de scout ! Non seulement j'ai subi la pire humiliation de ma vie devant la fille que j'aimais mais mon père m'a puni. Il disait qu'il n'arrivait pas à croire qu'il avait élevé un fils plus obtus qu'un âne !

Ils riaient encore quand Gina rentra un peu plus tard. Elle s'arrêta sur le seuil de la cuisine.

— Vous avez l'air de bien vous amuser !

— Ton frère me racontait son passé de torero, expliqua Tess.

Gina leva les yeux au plafond avant de les rejoindre à la table.

— J'ai entendu cette histoire au moins cent fois. Jenny est coiffeuse dans le seul institut de beauté de Foxrun et elle adore la raconter à ses clientes.

Tanner nota que, depuis l'arrivée de Gina, Tess semblait encore plus détendue.

— Ça n'aurait jamais marché entre Jenny et moi, dit-il. Je n'aurais pas supporté quelqu'un qui prend plaisir à humilier les gens.

96

— Comment s'est passée ta soirée ? demanda Tess à Gina.

Les yeux de la jeune fille étincelèrent.

— Merveilleusement bien ! Le père de Danny est drôle et sa mère très chaleureuse. Ses frère et sœurs sont plutôt turbulents. Bref, c'est une délicieuse maison de fous !

Tout en écoutant Gina raconter sa soirée chez Danny, Tanner se sentait coupable de n'avoir pu lui procurer le même type de famille.

— Ils forment une famille fantastique, reprit Gina. On voit qu'ils s'adorent.

Tanner chassa son amertume.

— Je suis content que tu aies passé une bonne soirée.

— Qu'avez-vous fait ce soir ?

Les joues de Tess se colorèrent.

— Rien, répliqua-t-elle avec trop de force. Je veux dire, nous avons dîné chez Antonio puis bu un café ici.

Gina la dévisagea avec insistance puis considéra son frère d'un air soupçonneux.

— C'était bon ?

— Qu'est-ce qui était bon ? demanda Tess d'une voix un peu trop aiguë tandis que sa rougeur s'accentuait.

Elle avait l'air terriblement coupable, constata Tanner avec une indulgence amusée.

— La nourriture chez Antonio, précisa Gina.

Elle hocha la tête.

— A quoi d'autre ferais-je allusion ?

— Je ne sais pas. Je suis fatiguée. Et la nourriture était excellente.

Tess se leva et emporta sa tasse et sa soucoupe à l'évier.

— Je vais me coucher. Merci, Tanner, pour cet excellent repas.

— Crois-moi, tout le plaisir était pour moi, répliqua-t-il.

Il eut la satisfaction de la voir à nouveau rougir. Elle murmura un bonsoir et quitta la cuisine.

Tanner eut la vision de son corps glissant entre les draps, nu, dans le clair de lune. Il secoua la tête pour chasser l'importune pensée et essaya de se concentrer sur Gina qui racontait sa soirée, le visage tout animé. Pour la première fois depuis son arrivée à Kansas City, il doutait de bien agir en faisant pression pour qu'elle regagne le ranch.

« Bien sûr que c'est la seule solution », répliqua une voix intérieure. Que Gina reste à Kansas City ne signifiait pas qu'elle fasse sienne la famille de Danny. De plus, ç'aurait été néfaste. Elle était trop jeune pour s'attacher profondément à un homme. Il fallait qu'elle revienne au ranch terminer ses études.

Comme ses pensées retournaient vers Tess, il s'aperçut que ces deux derniers jours, il avait perdu de vue la raison de sa présence à Kansas City. C'était Tess qui le préoccupait, non Gina. Depuis une semaine qu'il séjournait à Kansas City, il n'avait réalisé aucun progrès par rapport à la situation de sa sœur.

C'était la fossette de Tess qui l'avait distrait, ses courbes sensuelles, son rire mélodieux. Cependant, l'heure approchait de regagner le ranch ; il était grand temps d'oublier les charmes de Tess pour se concentrer sur son objectif.

8.

De sa vie, Tess n'avait connu une telle humiliation. Malgré son embarras, elle éprouvait un certain soulagement à l'idée que l'un des deux, au moins, avait su faire preuve de bon sens.

Tanner avait entièrement raison. S'ils avaient fait l'amour, elle l'aurait tout de suite regretté. Malgré tout, alors qu'elle se blottissait au fond de son lit, son corps brûlait encore des caresses de Tanner et sa bouche appelait désespérément la sienne.

Elle était certaine qu'il était un amant merveilleux et qu'il l'aurait entraînée dans des abîmes de passion et de tendresse.

Cependant, si cela s'était produit, leur séparation n'en aurait été rendue que plus difficile. Or, elle était inévitable. La vie de Tanner était ailleurs, et son séjour à Kansas City ne la concernait en rien.

De plus, elle n'avait pas l'intention de s'attacher à un homme. Devenir faible et dépendante ? Jamais ! Plutôt mourir que de tomber amoureuse !

Elle roula sur le dos et posa une main sur son ventre dans lequel était tapie une raison supplémentaire de ne pas coucher avec Tanner. S'ils avaient fait l'amour et qu'elle constatait ensuite qu'elle était enceinte, comment être certaine qu'il n'était pas le père ?

Elle ferma les yeux, essayant d'imaginer à quoi ressemblerait un enfant *à eux*. Et dans son esprit se leva la vision d'un petit garçon et d'une petite fille aux cheveux bruns et aux grands yeux sombres.

Ce seraient de beaux enfants, assurément, et Tanner serait un père merveilleux. Connaissant l'amour qu'il portait à Gina, elle était certaine qu'il adorerait ses enfants. Mais ce ne serait pas elle qui porterait sa progéniture, et elle savait sans le moindre doute que Tanner désapprouverait sévèrement son choix de recourir à l'insémination artificielle.

Elle s'endormit et rêva de lui. Le lendemain matin, elle s'éveilla avec une douloureuse sensation de vide et la certitude qu'il représentait une réelle menace pour sa tranquillité d'esprit. Il était vraiment temps de mettre une certaine distance entre eux.

Durant les jours qui suivirent, elle n'eut pas beaucoup d'efforts à faire pour se conformer à sa décision. Apparemment, Tanner en était arrivé aux mêmes conclusions qu'elle. Par Gina, elle avait appris qu'ils déjeunaient ensemble tous les jours, mais Tanner se tenait à l'écart de la boutique.

Tess était très occupée. Le temps était idéal et les ventes s'envolaient. Et puis, elle avait prévu l'inauguration de son aire de jeux pour le vendredi suivant. Mike avait promis que les travaux seraient terminés le jeudi soir et il avait tenu parole.

Il était à peine 19 heures, ce soir-là, quand elle ferma la boutique. Elle avait renvoyé Gina un peu plus tôt pour se donner le temps de disposer les petites tables de pique-nique, les bancs et installer livres et puzzles achetés pour distraire les enfants.

Elle avait commandé des pâtisseries chez Johnny, et un coupon de 20% de remise sur tout achat effectué dans la boutique le jour de l'inauguration avait circulé dans le journal local.

Avant de se lancer dans la décoration, il lui restait une dernière chose à faire. Elle prit place derrière le comptoir, décrocha le téléphone et composa le numéro de sa mère.

Au cours des deux derniers jours, Tess avait laissé deux messages sur le répondeur de Lillian, l'informant de l'inauguration et insistant sur le fait qu'elle aimerait qu'elle y assiste. Mais elle n'avait reçu aucune réponse.

En entendant la voix de sa mère, Tess se redressa.

— Bonjour, Lillian.

— Oh ! c'est toi. J'attendais un appel de Joe. Nous avons eu une petite prise de bec et il est parti en voiture il y a un quart d'heure à peine.

— Ça va ? demanda Tess un peu inquiète.

Sa mère avait tendance à s'effondrer dès que surgissait le moindre problème avec l'homme de sa vie.

— Tu sais, c'est une querelle idiote. Je suis sûre qu'il va téléphoner ou revenir d'une minute à l'autre. Au fait, pourquoi m'appelles-tu ?

— N'as-tu pas eu mes messages ?

— Si, bien sûr, mais franchement, Tess, tu me vois assister à l'inauguration de l'aire de jeux d'une boutique d'accessoires pour bébés ?

« Tu pourrais venir parce que c'est *ma* boutique, parce que je suis ta fille et que tu es fière de moi », pensa Tess. Malgré sa détermination à ne pas pleurer, des larmes amères montèrent à ses yeux.

— Tu aurais pu avoir envie de t'arrêter boire une tasse de café et déguster une pâtisserie avec moi.

— Tu sais que ce genre d'événement n'est pas du tout mon style, répliqua Lillian.

Elle ajouta toutefois :

— J'espère que cette journée sera une réussite. Oh ! j'ai un appel sur mon autre ligne ! Ce doit être Joe !

— Eh bien, au revoir…

Cependant, Lillian avait déjà raccroché. Lentement, Tess reposa le téléphone. Elle se maudit quand les larmes se répandirent sur ses joues. Pourquoi se laissait-elle encore décevoir par Lillian ? Pourquoi continuait-elle à en attendre bien davantage que celle-ci pourrait ou voudrait jamais lui donner ?

Les larmes se muèrent en sanglots. Elle se jura que c'était la dernière fois qu'elle pleurait à cause de sa mère. Cependant, cette dernière désillusion signait l'agonie d'un fantasme entretenu depuis trop longtemps… Et tout le monde sait que les fantasmes ont la vie dure.

Jamais Tess ne s'était sentie si seule. Elle avait envie de partager son succès mais il n'y avait personne qui désirât s'y associer. Elle aurait voulu que sa mère voie la boutique en pleine effervescence, remplie de clients et d'enfants, mais elle aurait dû savoir que Lillian ne s'était jamais intéressée à ses projets.

Un coup frappé à la porte la fit se lever. Tanner se tenait à l'extérieur. Comme il lui faisait signe, elle essuya vivement ses larmes. Ignorant que Tess l'avait renvoyée plus tôt, il comptait probablement raccompagner Gina à l'appartement.

Le sourire s'effaça du visage de Tanner quand elle ouvrit la porte.

— Gina est déjà partie.

— Que t'arrive-t-il ?

Il franchit le seuil.

— Rien.

Il la prit par les épaules, ses beaux yeux bleus pleins de tendresse.

— Tu pleurais…

— Non, c'est juste… tu sais… un peu d'allergie.

Elle tenta de s'écarter mais il la maintint solidement.

— Tess…

Sa voix, si douce, agit comme un catalyseur et ses larmes jaillirent de plus belle.

— Parle-moi, chérie. Qu'est-ce qui te rend si triste ?

— Je t'en prie, ce n'est rien.

Elle parvint enfin à se dégager de son étreinte.

— On ne pleure pas sans raison, fit-il remarquer. Raconte-moi ce qui te chagrine.

Il la prit par les épaules et, cette fois, elle se laissa aller contre lui et cacha son visage contre sa poitrine.

Sa chemise sentait une odeur d'adoucissant mêlé à une eau de toilette masculine qui, semblait-il, n'appartenait qu'à lui.

Elle poussa un profond soupir et lutta pour refouler ses larmes. Cependant, tout au contraire, avec les bras de Tanner qui la serraient contre lui, celles-ci redoublèrent. Il lui tapotait le dos, chuchotant des paroles apaisantes tandis qu'elle pleurait la mère qu'elle n'avait jamais eue.

Il lui fallut cinq bonnes minutes pour reprendre son calme. Elle recula alors avec un petit rire embarrassé.

— Je te prie de m'excuser ! Je ne sais pas ce qui m'a pris. D'habitude, je ne réagis pas aussi violemment.

La pensée que cette hyperémotivité pourrait être une des premières manifestations de sa grossesse traversa l'esprit de la jeune femme.

— Réagir à quoi ?

— A ma mère.

Elle recula d'un pas supplémentaire, terriblement gênée d'avoir été surprise dans cet instant de faiblesse.

— Je ne comprends pas pourquoi je me mets constamment en position d'être déçue. Normalement, j'aurais dû apprendre à l'accepter telle qu'elle est.

— Et comment est-elle exactement ?

Tess prit place sur le tabouret derrière le comptoir.

— Froide, insensible, dépourvue de tout instinct maternel. Elle n'aurait jamais dû avoir d'enfant et mon erreur est d'essayer de la couler dans un moule dans lequel elle n'entrera jamais… Comment s'étonner après ça que je sois déçue.

Tanner se dirigea vers l'autre extrémité du comptoir. Il y appuya ses coudes et la dévisagea.

— Que s'est-il passé ?

Tess haussa les épaules.

— C'est idiot, vraiment. Je lui ai téléphoné pour l'inviter à l'inauguration de demain mais elle a refusé de venir.

Elle le regarda.

— Je connaissais la réponse ; je ne comprends même pas pourquoi je l'ai invitée.

— Parce qu'il y a au fond de toi une petite fille affamée de l'amour de sa mère, dit-il d'une voix très douce. Je connais cette faim. Ma mère est morte depuis des années et il y a encore des moments où elle me manque terriblement.

Il posa une main sur la sienne.

— Je suis désolée de la disparition de ta mère, dit-elle.

— Et moi, je suis désolé que la tienne soit incapable de te donner ce que tu attends d'elle.

— Veux-tu voir l'aire de jeux ? demanda-t-elle, désireuse de changer de sujet. Mike a terminé cet après-midi et je m'assurais que tout était en place.

— Volontiers.

Ils se dirigèrent vers le fond de la boutique. Toute la semaine, sous prétexte qu'ils devaient espacer leurs rencontres, Tess avait prétendu se réjouir de son absence. A présent, elle se rendait compte à quel point il lui avait manqué.

Oui, pour être honnête, elle s'était langui de son séduisant sourire, de la chaleur de ses impossibles yeux bleus, de sa conversation et du son de son rire.

En présentant son aire de jeux, le cœur de Tess se gonfla de fierté. Mike avait fait du bon travail. Un petit toboggan s'élevait dans un coin de l'espace clôturé par une barrière de bois tandis que, de l'autre côté, deux tables de pique-nique et des bancs avaient été disposés.

— On dirait un parc miniature, dit Tanner. Il n'y manque que quelques arbustes.

Elle hocha la tête.

— Je voulais rapporter des plantes en pot mais je n'en ai pas eu le temps.

— L'idée était pourtant excellente.

Son approbation la réchauffa.

— Les parents vont adorer, ajouta Tanner.

— Merci, dit-elle en s'emparant d'une pile de livres qu'elle comptait installer sur les tables.

Il se saisit des puzzles pour l'aider.

— Tu n'y es pas obligé, protesta-t-elle.

Il sourit.

— Allons, ce n'est pas une mission trop difficile !

Et il entreprit de disposer les puzzles sur les tables.

— A propos de mission difficile, où en est ta croisade pour ramener Gina à Foxrun ?

Le sourire de Tanner s'effaça.

— J'ai toujours su que Gina était têtue mais je n'imaginais pas à ce point.

Ayant terminé d'arranger les puzzles, il s'adossa au toboggan.

— Lundi, j'ai essayé la culpabilité. Je lui ai rappelé combien ç'aurait été important pour nos parents qu'elle termine ses études.

Tess, qui avait fini d'éparpiller les livres sur les tables, se jucha sur un banc.

— Ça n'a pas marché ?

— Pas le moins du monde. Mardi, je lui ai ordonné de rentrer. Résultat : elle est parti au beau milieu du repas en me traitant de tyran.

— Et mercredi ?

— Chantage, répondit-il en souriant. Gina a toujours désiré une ancienne Thunderbird décapotable. J'ai promis de lui en acheter une si elle rentrait et reprenait ses cours.

— Pour du chantage, c'est du chantage…

— Possible, mais ça n'a rien donné non plus. Elle a affirmé préférer son indépendance à une voiture.

— Et aujourd'hui ?

Il lui adressa un sourire penaud.

— Elle a refusé de déjeuner avec moi.

Tess éclata de rire.

— Es-tu prête à partir ?

Elle hocha la tête.

— Viens. Je te raccompagne.

La fermeture de la boutique ne prit que quelques minutes. Ensuite, ils prirent le chemin de l'immeuble de Tess tout en bavardant et échangeant des réflexions sur le rôle important que jouaient les parents dans la vie de leurs enfants.

Tanner parla aussi du ranch. Devant la nostalgie qui empreignait sa voix, elle sut que ce n'était qu'une question de jours qu'il regagne Foxrun.

L'idée de ne jamais le revoir lui parut à cet instant si insupportable qu'elle comprit avec horreur qu'elle était tombée amoureuse de lui.

Calé sur le siège du passager de la camionnette chargée de plantes vertes qui roulait vers la boutique de Tess, Tanner sifflotait. Il était tout juste 7 h 30 ; le soleil brillait déjà haut dans le ciel, promettant une belle journée pour l'inauguration de Tess.

Tess.

Il avait essayé de garder ses distances après le soir où ils avaient failli coucher ensemble. Au lieu de passer son temps à la boutique, il avait visité la ville. Mais elle n'était jamais loin de ses pensées.

Il ne songeait pas seulement à la douceur de sa peau, ni au goût de ses lèvres mais aussi à l'intelligence qui brillait dans son regard et à la drôlerie de ses reparties.

C'était une femme incroyable, forte et vulnérable et sensible à la fois. Les larmes qu'il lui avait vu verser, la veille, sur le désamour de sa mère le touchaient infiniment. Il avait envie d'aller trouver

106

Lillian Carson et de la secouer jusqu'à se qu'elle se rende compte de la chance qu'elle avait d'avoir une fille comme Tess.

Il s'était éveillé ce matin avec une idée précise et s'était immédiatement mis en quête d'une jardinerie. Il avait pris un taxi pour l'établissement conseillé par le réceptionniste de l'hôtel et fut heureux de le trouver ouvert et susceptible d'une livraison immédiate.

Dans le plateau de la camionnette, il y avait deux ficus et différentes plantes vertes.

Il sourit en imaginant la surprise de Tess. Elle serait sûrement enchantée. Ces plantes ajouteraient la touche de verdure idéale à son parc miniature.

— A droite, indiqua-t-il au chauffeur, un jeune garçon qui paraissait à peine assez vieux pour avoir son permis.

Bobby, ainsi l'indiquait son badge, s'arrêta le long du trottoir.

— A quelle heure la boutique ouvre-t-elle ? s'enquit-il.

Il avait noté la pancarte marquée « fermé » accrochée à la porte et l'obscurité qui régnait à l'intérieur.

— Pas avant une heure ou deux. Mais vous n'avez pas besoin d'attendre. Déposons les plantes sur le trottoir ; je les rentrerai à l'ouverture.

Bobby hocha la tête. Quelques minutes seulement furent nécessaires pour décharger le plateau et qu'il reprenne le chemin de la jardinerie.

Tanner savait que Tess ouvrirait tôt aujourd'hui. Elle était sûrement impatiente d'accueillir ses clients et il y avait les pâtisseries à disposer sur les plats. Pourvu seulement que les visiteurs affluent du matin au soir et que la journée soit une réussite…

Il se tenait devant la boutique depuis environ dix minutes quand il vit Tess approcher, les bras chargés de cartons de pâtisseries. Il se hâta à sa rencontre, le cœur gonflé de tendresse à la vue de ses cheveux inondés de soleil et de ses longues jambes découvertes par sa robe vert printemps.

— Que fais-tu là si tôt ? s'enquit-elle pendant qu'il lui prenait les cartons des bras.

— C'est un grand jour. Je ne voulais pas en manquer une seconde !

Le chaleureux sourire qu'elle lui retourna lui réchauffa le cœur. Cependant, son sourire s'évanouit quand son regard tomba sur les plantes.

— Qu'est-ce que c'est ?

— Ton parc.

Elle considéra longuement les pots.

— Tu n'aurais pas dû faire ça ! s'exclama-t-elle enfin.

Le ressentiment qui vibrait dans sa voix surprit Tanner.

— Si tu n'aimes pas ces espèces, je peux les échanger.

Elle avait déverrouillé la porte et était entrée dans le magasin, Tanner sur ses talons.

— Ce n'est pas la question.

Elle lui prit les cartons de pâtisseries des bras et les posa sur le comptoir.

— Tu n'as pas à agir à ma place. Je suis parfaitement capable de me débrouiller.

Devant cette réaction qui n'était pas exactement celle qu'il attendait, l'irritation s'empara de Tanner.

— Je n'en doute pas une seconde ! Je voulais juste avoir un geste gentil pour toi et un merci aurait suffi.

Elle rosit et détourna le regard.

— Je te prie de m'excuser. Je devrais avoir honte.

— Entièrement d'accord avec toi !

Cependant, l'irritation de Tanner était tombée.

— Maintenant, j'ai toutes ces plantes qui attendent un foyer. Je les rentre ou j'appelle la jardinerie pour qu'ils viennent les chercher ?

Elle sourit malicieusement.

— Ne préfères-tu pas rentrer les plantes et appeler la jardinerie pour qu'ils viennent *me* chercher ?

La plaisanterie le fit rire.

— Pas pour tout l'or du monde ! Jamais je ne serais capable de vendre des couches et des bottines à des femmes enceintes !

Comme il ressortait chercher les plantes, Tess installa une table de jeu près de la porte, mit en route la cafetière industrielle louée pour l'occasion et disposa les pâtisseries sur des plats.

Le temps que Tanner rentre les plantes, elle avait terminé ses préparatifs. Elle le rejoignit à l'aire de jeux et indiqua où elle désirait placer la verdure. Quand ce fut terminé, ils se servirent une tasse de café. Tess consultait sa montre et faisait les cent pas dans la boutique, redressant certains objets, pliant et repliant les couvertures. Devant sa nervosité manifeste, il comprit que cette journée était encore plus importante pour elle qu'il ne se le figurait.

— Assieds-toi, lui intima-t-il.

Et, joignant le geste à la parole, il la prit par la main et la guida vers le siège installé derrière le comptoir.

— Si tu dépenses ton énergie à tort et à travers, tu seras épuisée avant même l'ouverture des portes !

Elle s'assit et lui sourit.

— Je ne sais pas pourquoi je suis si nerveuse. Après tout, ce sera probablement un jour de travail comme un autre.

— Bien meilleur !

— Si le ciel pouvait t'entendre !

Sur ces entrefaites, Gina poussa la porte du magasin. Elle les salua puis prit un gâteau au chocolat sur la table.

— Hum ! délicieux, s'exclama-t-elle après en avoir goûté une bouchée.

— C'est une chance que tu les apprécies parce que si nous ne voyons pas un chat de la journée, ils nous tiendront lieu de souper pendant une semaine ou deux !

Toutefois, l'inquiétude de Tess se révéla vite sans fondement. Quelques minutes après l'ouverture des portes, l'endroit regorgeait de monde.

Non seulement Tess et Gina se trouvèrent occupées mais Tanner dut également mettre la main à la pâte en accueillant les visiteurs, jetant un coup d'œil occasionnel aux enfants qui semblaient beaucoup apprécier l'aire de jeux et faisant patienter les clientes en attendant que Tess ou Gina puissent s'occuper d'elles.

La matinée passa en un éclair et ce ne fut que vers 14 heures qu'ils profitèrent de leur première pause.

— Si j'allais chercher des hamburgers chez Johnny ? suggéra Tanner.

— Parfait pour moi, déclara Gina.

— Je n'ai pas très faim, dit Tess.

Elle se laissa tomber sur une chaise avec un soupir épuisé.

Tanner la considéra d'un œil critique.

— Il faut manger. As-tu seulement dîné hier soir ?

Elle fronça songeusement les sourcils.

— Non, reconnut-elle.

— Et le petit déjeuner, ce matin ?

— J'avais l'esprit trop occupé pour penser à manger.

— Dans ce cas, je te rapporte un hamburger. Et si tu refuses de te restaurer, je te le ferai avaler de force, bouchée après bouchée !

— Il ne plaisante pas ! assura Gina. C'est une vraie mère poule pour ce qui est des trois repas quotidiens et des longues nuits de sommeil !

— Exact ! Et après t'avoir nourrie, je n'aimerais rien tant que te border dans ton lit.

Du seuil de la porte, Tanner entendit le cri de surprise offusquée de Tess et le rire de Gina. Tess n'avait de cesse d'affirmer sa volonté d'indépendance, et pourtant Tanner n'avait jamais rencontré femme qui ait autant besoin d'attentions. Non seulement, elle avait besoin d'être dorlotée physiquement mais, de plus, il lui fallait quelqu'un pour l'épauler moralement, quelqu'un qui partage ses joies et ses peines.

Quand il la tenait dans ses bras la veille et qu'elle sanglotait sur l'indifférence de sa mère, il aurait voulu être cette personne aimante, capable de la soutenir. Il aurait voulu la tenir assez serrée pour que le mal ne puisse plus jamais l'atteindre.

Ce besoin de protection qu'elle éveillait chez lui le contrariait quelque peu. Mêlé au désir qu'il ressentait pour elle, il suscitait chez lui un cocktail d'émotions troublantes.

Pendant qu'il s'activait à la boutique auprès de futurs pères et mères, il s'était demandé quel effet ça faisait d'attendre un enfant. Il regardait les petites chaussures et les minuscules vêtements, les moelleuses couvertures aux tons pastel et les robes à frous-frous, et un désir était monté en lui…

Brusquement, il ressentit la poignante nostalgie des Two Hearts. Au ranch, les choses étaient moins compliquées ; il était grand temps qu'il reprenne le cours normal de sa vie.

En entrant chez Johnny, il prit une décision. Si, d'ici là, il ne parvenait pas à convaincre Gina de rentrer avec lui, il repartirait dimanche.

Ça lui laissait deux jours pour venir à bout de l'entêtement de Gina… Et deux jours pour évacuer Tess de sa tête et de son cœur.

9.

— Rentre, dit avec insistance Gina à Tess, peu après 18 heures. Je ferai la dernière heure et je fermerai.

Tess hésitait. L'idée de rentrer chez elle et de surélever ses pieds paraissait alléchante. La journée avait dépassé ses espérances ; ç'avait été la plus fructueuse depuis l'ouverture du magasin.

— Va, insista Gina. Tu es épuisée. Je me débrouillerai très bien toute seule.

— En es-tu sûre ?

La foule s'était dissipée et, pour le moment, la boutique était déserte.

— Certaine.

— Bon. Je dois admettre que j'ai besoin de repos.

— Je parie que tu étais trop énervée pour fermer l'œil de la nuit.

— C'est vrai. Je m'occupe du dîner. Il attendra au chaud ton retour.

— Parfait. Je commence à avoir un petit creux !

Tess prit son sac, laissa à Gina ses instructions de dernière minute puis quitta la boutique.

Certes, elle était restée éveillée une partie de la nuit mais ce n'était pas tant son inquiétude quant au déroulement de l'inauguration que la pensée de Tanner qui l'avait empêchée de dormir.

Cette révélation qu'elle avait eue, la veille, d'être tombée amoureuse lui avait fait l'effet d'un coup de massue. En même temps, toute la nuit, elle avait bercé avec émerveillement l'idée dans son cœur.

Malheureusement, il s'agissait d'un amour voué à ne jamais voir le jour. Sa vie était toute tracée et il n'y avait pas de place pour un homme, pas même pour un homme dont la seule pensée la faisait défaillir. Elle se consacrerait à son bébé et à son affaire… Elle n'avait besoin de rien d'autre pour être heureuse.

Avec lassitude, elle s'adossa à la paroi de l'ascenseur qui l'emmenait au huitième étage, essayant de bannir Tanner de son esprit. Mais c'était comme s'empêcher de respirer. Il emplissait sa tête, son cœur, son âme.

Elle l'avait laissé pénétrer son intimité comme personne d'autre et le regrettait à présent, car elle savait que son départ lui laisserait un vide immense et le regret de ce qui aurait pu être.

Elle ignorait les sentiments de Tanner à son égard. Il la désirait, certes, mais ses sentiments allaient-ils au-delà d'une simple attirance physique ?

De toute façon, même si c'était le cas, même si, par miracle, il lui offrait de l'emmener vivre avec lui au ranch, elle refuserait.

Elle connaissait les travers d'un amour aveugle, et elle s'était juré de ne jamais devenir comme sa mère, faible, dépendante et collante comme une sangsue. Jamais elle ne serait une femme dont l'univers tout entier tournerait autour d'un homme.

Une fois la porte de son appartement refermée derrière elle, elle rejeta ses chaussures et s'affala, fourbue, sur le canapé.

Elle pensa au test de grossesse dans l'armoire de la salle de bains. Presque un mois s'était écoulé depuis l'intervention ; peut-être était-il possible de savoir maintenant ?

Pour le moment, toutefois, elle ne se sentait pas le courage de le faire. D'ailleurs, il était sans doute plus sûr d'attendre encore quelques jours…

Elle avait eu ses règles une semaine plus tôt mais elle savait que ce n'était pas une preuve suffisante pour éliminer la possibilité d'une grossesse. Ses cycles avaient toujours été irréguliers. Elle ferma les yeux ; elle allait se reposer quelques instants avant de chercher ce qu'elle pourrait bien préparer pour le dîner.

Elle s'éveilla brusquement, dans le noir. Elle était tombée comme une masse et avait dû dormir assez longtemps. Elle s'assit et consulta sa montre. Il était 20 heures passées ; on fermait la boutique à 19 h 30, Gina aurait dû être rentrée. Mais sans doute, ce soir, avait-elle perdu du temps à ranger les pâtisseries et nettoyer la cafetière.

Elle se rendit à la cuisine et ouvrit le réfrigérateur. En inspectant son contenu, elle se rendit compte qu'elle n'avait aucune envie de cuisiner. Elle le referma donc et retourna dans la salle de séjour commander une pizza par téléphone. Ensuite, elle prit une douche, passa sa chemise de nuit et une robe de chambre.

Gina n'était toujours pas là. Que pouvait-elle bien fabriquer ? Il ne fallait pas tant de temps pour tout remettre en ordre. Elle reprit le téléphone et composa le numéro de la boutique. Elle laissa sonna cinq fois puis raccrocha. Apparemment, Gina était déjà partie ; elle passerait la porte d'ici quelques minutes.

Tout en attendant Gina et la pizza, Tess essayait de ne pas penser à Tanner, ce qui semblait mission impossible. Quel effet ça ferait-il de vivre aux Two Hearts et d'être chérie le restant de ses jours par Tanner, de porter ses enfants, de partager son existence ? se demandait-elle. Chaque fois qu'il évoquait Foxrun, la peinture de la vie dans cette petite ville éveillait chez elle une envieuse nostalgie.

Mais pourquoi, pourquoi ces pensées la tourmentaient-elle autant ?

Tanner s'était révélé être d'une aide précieuse toute la journée, donnant un coup de main quand l'affluence se faisait trop intense, surveillant discrètement l'aire de jeux et donnant son avis aux femmes qui désiraient une opinion masculine. Aux environs de

15 heures, il s'était retiré en disant qu'il devait téléphoner au ranch afin de s'entretenir avec son contremaître…

Un coup de sonnette balaya le cours de ses pensées. En ouvrant la porte, elle découvrit un souriant jeune homme qui lui tendait une pizza.

— Bonsoir, mademoiselle Carson.

— Bonsoir, Ralph.

Ralph était un familier des lieux ; c'était souvent lui qui livrait les pizzas chez Tess.

— Encore une soirée sans cuisine ! dit-il en prenant l'argent qu'elle lui tendait en échange de la pizza.

— Bien deviné ! J'ai préféré savourer un des chefs-d'œuvre de ton père.

Ralph rit.

— Ce chef-d'œuvre est juste comme vous l'aimez… avec beaucoup de poivrons.

— Merci, Ralph, et salue ton père de ma part.

Sur un geste de la main, le jeune livreur reprit le chemin de l'ascenseur. Tess referma la porte derrière lui et posa la pizza sur la table. Il s'en dégageait une alléchante odeur. Il ne restait plus qu'à attendre Gina.

Les minutes s'écoulaient. Pour passer le temps, Tess mit le couvert, posa une cruche de thé glacé sur la table, mais Gina n'arrivait toujours pas. Peut-être que Danny était passé la prendre à la boutique et qu'ils avaient décidé de dîner ensemble ? se dit-elle.

Gina était adulte, c'était stupide de se mettre martel en tête parce qu'elle n'était pas rentrée. Malgré tout, à mesure que le temps passait, l'anxiété de Tess grandissait. A 21 heures, elle était à son comble. En petite personne bien élevée, Gina prévenait toujours quand ses projets la retenaient à l'extérieur tard dans la soirée.

Les deux jeunes femmes vivant seules, Tess avait toujours insisté sur l'importance de se tenir au courant de l'endroit où chacune se trouvait et avec qui. De plus, elle avait dit à Gina qu'elle préparait le dîner, et la jeune femme avait paru d'accord pour le partager avec elle. Alors, où se trouvait-elle ? Pourquoi n'appelait-elle pas ? A 22 heures, Tess décida d'agir.

Elle s'assit près du téléphone mais suspendit son geste avant de composer le numéro. Au lieu de ça, elle tapota pensivement l'appareil du bout des doigts. Si rien de grave ne s'était produit, Gina serait furieuse qu'elle ait remué ciel et terre pour la retrouver. En même temps, Tess se sentait incapable d'attendre passivement son retour.

Prenant une profonde inspiration, elle décrocha le téléphone, composa les renseignements et demanda le numéro de l'hôtel de Tanner.

Tanner venait de se mettre au lit après une bonne douche quand le téléphone sonna. Dans l'obscurité, il lui fallut un moment pour localiser l'appareil sur la table de nuit.

— Oui ?

— Tanner ?

Il roula sur le côté et alluma la lampe de chevet.

— Tess !

— Désolée de t'importuner.

Au son de sa voix, il sentit qu'elle ne l'appelait pas de gaieté de cœur.

— Tu ne m'importunes pas.

— Ecoute, ce n'est sûrement pas grave mais je suis un peu inquiète au sujet de Gina.

Il s'assit brusquement sur son lit, le cœur battant.

— Que se passe-t-il ?

Il y eut un long silence à l'autre extrémité du fil.

— Elle n'est pas encore rentrée.

— Pas rentrée… de la boutique ?

Il consulta son réveil sur la table de chevet.

— Aviez-vous prévu de fermer plus tard ce soir ?

— Non. J'ai appelé plusieurs fois là-bas. Ça ne répond pas.

— Avait-elle rendez-vous avec Danny ?

— Pas que je sache. Quand je suis partie, j'ai proposé de préparer le dîner et elle n'a pas mentionné d'autres projets.

Tanner sentit un élan de panique le gagner.

— J'arrive ! dit-il et, sans laisser l'opportunité à Tess d'ajouter un mot, il raccrocha.

Il s'habilla en toute hâte, le cœur étreint d'angoisse. Si Gina avait fermé comme convenu la boutique à 19 h 30, cela faisait plus de deux heures et demie qu'elle manquait à l'appel. Où pouvait-elle bien être ?

Avant de se rendre chez Tess, il parcourut à pied les quelques centaines de mètres qui séparaient son hôtel de la boutique. Son cœur battait frénétiquement tandis que son esprit lui présentait des images horribles.

Il trouva la boutique plongée dans l'obscurité, la porte fermée. Tout paraissait en ordre et un bref tour d'horizon ne lui apprit rien de particulier.

Il courut jusqu'à l'immeuble de Tess, maudissant une imagination qui lui présentait une kyrielle d'affreuses visions.

L'aurait-on enlevée sur le chemin du retour ? Etait-elle la proie d'un détraqué ? Ou bien avait-elle tout simplement changé de projets en omettant d'en avertir Tess ? Dans ce dernier cas, elle pouvait s'attendre à passer un mauvais quart d'heure !

Il n'eut pas à frapper à la porte de Tess. A l'instant où il sortait de l'ascenseur, celle-ci s'ouvrit et Tess l'invita à entrer.

— Des nouvelles ?

Elle secoua la tête. Elle paraissait étrangement petite et fragile dans sa robe de chambre rose pâle, avec son visage marqué par l'anxiété.

— Peut-être devrions-nous appeler la police ? suggéra-t-elle en jouant nerveusement avec sa ceinture.

Tanner fourragea dans ses cheveux en soupirant.

— Ils ne nous prendront pas au sérieux. Au point où nous en sommes, tout ce que nous pouvons dire, c'est qu'une jeune fille de vingt et un ans est en retard de quelques heures pour le dîner. Ils n'agiront pas avant au moins vingt-quatre heures.

Tess se laissa tomber sur le canapé.

— Alors, que faire ?

Tanner se mit à marcher de long en large devant les fenêtres.

— Te souviens-tu du nom de famille de Danny ?

— Burlington.

Il étouffa un gémissement. Des Burlington, il devait s'en trouver des milliers dans l'annuaire de Kansas City !

— Nous savons qu'il habite près d'ici, ça ne doit pas être trop difficile de le localiser, dit-elle, comme si elle avait lu dans ses pensées.

— As-tu un annuaire ?

Avec un hochement de tête, Tess se dirigea vers la cuisine, suivie de Tanner. Pour la première fois depuis l'annonce de la disparition de Gina, il reprenait espoir. Elle était forcément avec Danny. Et, avec l'insouciance de la jeunesse, elle n'avait pas pensé qu'on s'inquiéterait de son sort.

Tess tira l'annuaire d'un placard, le posa sur la table et chercha la page des Burlington. Tanner s'approcha et prit vaguement conscience de sa douce odeur de propreté et de la chaleur de ses formes quand il se pencha sur elle pour examiner les numéros.

Elle fit courir sur la liste de noms un index à l'ongle soigneusement manucuré et verni de rose, les passant en revue à une vitesse surprenante.

— Voici une possibilité.

Tanner décrocha le téléphone et composa le numéro qu'elle lui indiquait.

Ce n'était pas le bon Burlington.

Ils appelèrent quatre personnes. Trois d'entre elles ne connaissaient pas de Danny, la quatrième ne répondit pas. Au moment où Tanner raccrochait après ce dernier appel, ils entendirent la porte s'ouvrir et se refermer.

L'entrée de Gina dans la cuisine fut saluée par un silence stupéfait. Sa lèvre inférieure était enflée, ses cheveux en désordre, son collant tout déchiré et ses genoux en sang.

— Pas de panique, dit-elle précipitamment. C'est moins grave qu'il n'y paraît.

En dépit de ces paroles rassurantes, Tanner sentit l'affolement le gagner. En trois enjambées, il était devant elle et la prenait par les épaules pour s'assurer qu'elle était bien vivante.

Incapable de parler tant l'émotion lui nouait la gorge, il la serra contre sa poitrine et il s'écoula de longues minutes avant qu'il ne la lâche.

— Que s'est-il passé ?

Elle se dégagea et posa son sac sur la table.

— Un petit voyou a essayé de me voler mon sac.

— Comment se fait-il que tes genoux soient tout écorchés ? demanda Tess.

— J'avais passé la sangle par-dessus ma tête, alors, quand il a tiré sur mon sac, sous le choc, je suis tombée.

Elle sourit faiblement.

— Je crois qu'il a eu encore plus peur que moi. J'ai hurlé de toutes mes forces et l'ai aspergé à deux reprises de poivre. Puis je suis allée tout droit au poste de police faire ma déclaration. C'est ce qui m'a fait perdre tout ce temps. J'ai essayé d'appeler mais la ligne était occupée, alors j'ai décidé de tout expliquer en rentrant…

La colère succéda à la peur tandis que Tanner contemplait sa petite sœur.

— Fais tes bagages, dit-il sèchement. Tu ne resteras pas une seconde de plus dans un lieu où tu dois te promener avec une bombe au poivre sous peine d'être agressée !

Gina se laissa tomber sur une chaise.

— Ne sois pas ridicule ! Je ne ferai rien de tel.

La colère de Tanner ne faisait que s'accroître. Sa frustration, aiguisée par l'attitude rebelle que sa sœur avait adoptée depuis son arrivée, éclatait au grand jour. Il avait essayé de se montrer patient, de la rallier tout doucement à son point de vue mais, à présent, la coupe était pleine.

— Enfin, Gina, il aurait pu te tuer ! s'exclama-t-il.

— Mais il ne l'a pas fait. J'ai su gérer la situation.

— Cette fois peut-être, mais la prochaine ?

Il avait envie de hurler, de l'attraper par les épaules et de la secouer pour faire rentrer un peu de bon sens dans sa cervelle d'oiseau.

— C'est sérieux, Gina. Je quitte Kansas City dimanche matin, avec toi.

Gina se leva.

— Je n'ai pas envie d'en discuter maintenant. Ce dont j'ai besoin, c'est d'un bon bain relaxant. Bonsoir !

Sur ces mots, elle sortit. Tanner tourna vers Tess un regard chargé d'irritation.

— Je ne sais comment la ramener à la raison ; elle est si stupidement bornée !

Les coins de la bouche de Tess frémirent.

— On se demande de qui elle tient…

Puis son sourire s'effaça et la sympathie s'alluma dans son regard.

— Peut-être aura-t-elle changé d'avis demain matin.

— Je l'espère.

Il soupira. Maintenant que la tension se dissipait, il se sentait épuisé.

— Je vais rentrer et te laisser dormir.

Tess l'accompagna jusqu'à la porte d'entrée.

— Ainsi, tu pars dimanche ?

— Oui. Il est grand temps que je rentre m'occuper de mes affaires.

Il la dévisagea. Si seulement il avait pu emmener non pas une, mais deux jeunes femmes à Foxrun…

En cet instant, Tess était plus belle que jamais avec ses yeux bruns qui brillaient d'un vif éclat et le rose de sa robe de chambre qui accentuait la pâleur de son teint.

Il aurait voulu la soulever dans ses bras et l'emporter jusqu'à son pick-up. Rouler jusqu'au ranch et combler cet immense vide affectif qu'il devinait en elle. Mais bien sûr, c'était impossible. La vie de Tess était ici.

— Tu me manqueras, Tanner.

Elle avait prononcé ces mots lentement, comme à regret.

Il se rapprocha.

— Toi aussi tu vas me manquer.

Sans en avoir eu l'intention, il la prit par les épaules. Un dernier baiser, se disait-il en prenant ses lèvres. Savourer encore une fois les délices de sa bouche.

Son irritation céda brusquement devant une irrésistible flambée de désir. Il ne voulait pas seulement l'emmener avec lui, il voulait la garder dans son lit au moins un mois durant. Il voulait s'éveiller chaque matin en la serrant dans ses bras, s'endormir chaque soir, épuisé de lui avoir fait l'amour.

Il s'écarta, effrayé du tour pris par ses pensées. S'il continuait de l'embrasser, il lui deviendrait impossible de la quitter.

— Bonsoir, Tess, dit-il en la lâchant.

Et, avant d'avoir l'occasion de dire ou de faire quelque chose qu'il pourrait regretter par la suite, il sortit.

— Il n'y a rien de meilleur que la pizza froide ! s'exclama Gina en se servant une seconde part.

Il était minuit passé quand les deux jeunes femmes s'attablèrent finalement devant leur repas. Gina avait pris un bain, désinfecté les blessures de ses genoux et, mis à part une raideur musculaire due à sa chute, elle ne semblait pas trop mal en point.

De son côté, Tess avait beaucoup réfléchi depuis le départ de Tanner. Elle avait d'abord ressenti une immense tristesse. Il partait le surlendemain ; jamais plus elle n'entendrait son rire, jamais plus elle ne verrait luire la passion dans les profondeurs de ses beaux yeux bleus.

Puis, pendant que Gina prenait son bain, ses pensées s'étaient tournées vers elle. Le traumatisme subi par la jeune fille l'avait horrifiée et, pour la première fois, elle s'était demandé si Gina ne commettait pas une grossière erreur en refusant de retourner au ranch avec ce frère qui l'aimait tant. Elle avait été profondément touchée de voir avec quelle tendresse et quelle inquiétude Tanner avait serré sa petite sœur dans ses bras. Elle ne pouvait s'empêcher de penser à ces instants du passé où elle aurait souhaité être étreinte avec un tel amour.

— Tu sais, Gina, je me demande si tu ne devrais pas reconsidérer ta décision de rester à Kansas City.

Gina reposa sa part de pizza et dévisagea son amie avec méfiance.

— Qu'est-ce que tu racontes ?

Tess haussa les épaules.

— Tanner ne veut que ton bien. Ce serait peut-être une bonne idée de rentrer à Foxrun et de terminer tes études sans avoir à te soucier de payer un loyer ou d'être agressée.

Gina eut un rire amer.

— Il a fini par te convaincre ; j'aurais dû m'en douter ! Il n'a pas arrêté de te faire du charme dans le seul but de te ranger dans son camp.

— C'est ridicule !

Malgré sa protestation, Tess ressentait douloureusement les paroles de Gina.

— Qu'est-ce qui est ridicule ?

La jeune fille s'écarta de la table, affichant une mine dégoûtée.

— Tanner ne supporte pas la défaite ; il ferait n'importe quoi pour mettre toutes les chances de son côté. Dans la situation actuelle, c'est simple : il avait besoin de ton soutien pour gagner !

Elle se leva.

— Regarde les choses en face, Tess. Il t'a manipulée.

Sur ces mots, Gina quitta la pièce. Quelques instants plus tard, Tess entendit claquer la porte de sa chambre.

10.

Le dimanche matin, en attendant l'arrivée de Tanner, Tess arpentait sa salle de séjour. Il pensait passer prendre Gina mais il ne savait pas encore qu'il trouverait à la place une Tess très en colère !

Vendredi soir, quand Gina lui avait affirmé que Tanner s'était joué d'elle, elle ne l'avait tout d'abord pas crue. Cependant, plus elle y réfléchissait, plus la supposition paraissait crédible.

S'il était sincèrement attachée à elle et n'essayait pas seulement de la manipuler, pourquoi ne lui avait-il pas fait l'amour lorsqu'elle avait perdu tout contrôle de la situation ? S'il avait été dans les mêmes dispositions qu'elle, il ne se serait pas arrêté en si bon chemin.

Cependant, au lieu de se laisser aller à la passion, il s'était montré raisonnable. Normal. Il n'avait certainement pas envie de pousser trop loin son petit jeu.

En même temps, son désir paraissait si sincère, ses baisers si réels… La révélation de sa duperie l'avait déchirée. Elle avait néanmoins réussi à dominer la souffrance et, à présent, c'était la colère qui l'animait.

Elle se versa une seconde tasse de café. Il était 7 heures tout juste passées ; sans savoir à quel moment il arriverait, elle pressentait qu'elle n'attendrait pas longtemps. Il tenait certainement à prendre la route de bonne heure.

Préférant éviter toute confrontation avec son frère, Gina avait quitté l'appartement à l'aube. Danny était venu la chercher. Ils

124

avaient prévu de prendre ensemble le petit déjeuner puis de passer la journée dans le parc.

Tess se réjouissait de l'absence de la jeune fille. En dépit de ses résolutions, elle avait toutes les peines du monde à refouler les larmes que lui causait l'idée de ne plus revoir Tanner Rothman.

C'était parfaitement ridicule ; l'idée du mariage lui faisait horreur. Pourtant, à certains moments, quand Tanner évoquait le ranch et la vie dans la petite ville de Foxrun, elle s'était surprise à éprouver la nostalgie d'un foyer.

Elle but une gorgée de café et posa une main sur son ventre. D'accord, elle n'aurait pas d'époux pour la bercer contre lui toute la nuit, elle ne vivrait pas dans une charmante bourgade où tout le monde se connaissait, mais elle connaîtrait tout de même les joies de la famille. Son enfant la comblerait. Il recevrait sans partage son amour et son attention. Jamais il ne viendrait après un homme dans l'ordre de ses priorités.

En entendant la sonnette, elle sursauta et renversa un peu de café. Elle reposa précipitamment sa tasse et se raidit en anticipant la confrontation.

La vue de Tanner, dans ses habituels jean et T-shirt dont la couleur marine accentuait l'incroyable bleu de son regard, lui causa une poignante émotion.

— Elle n'est pas là, annonça-t-elle sans préambule. Elle m'a chargée de te dire qu'elle t'aime mais qu'elle est lasse de se battre contre toi et qu'elle ne retournera pas à Foxrun.

Il entra dans la salle de séjour, marmonnant une vague injure entre ses dents.

— Je lui avais pourtant demandé de faire ses bagages et d'être prête à partir !

— Et tu pensais que ça suffirait ? Quelle arrogance, mon cher !

Il la considéra, sourcils froncés.

— Quelle mouche te pique ?

Elle recula de quelques pas afin de ne plus percevoir sa trop chère odeur.

— Tu crois donc vraiment qu'il te suffit de donner un ordre pour que Gina obéisse !

— Elle sait que je tiens à ce qu'elle rentre.

— Et quand te décideras-tu à tenir compte de sa volonté ?

La colère de Tess bouillonnait sous la surface, prête à éclater. Elle n'était pas particulièrement choquée par le comportement de Tanner vis-à-vis de Gina mais l'occasion était trop belle de laisser éclater sa propre rancune.

— Tu l'as élevée pour être forte, indépendante, sûre d'elle-même. Pourquoi ne la laisses-tu pas agir en conformité avec son caractère ?

— Je la laisserai… en temps voulu.

Il enfouit ses mains dans ses poches, le visage tendu.

— L'heure a sonné, Tanner. Tu dois la laisser libre de ses choix.

Il grimaça.

— Tu ne sais pas de quoi tu parles.

— Oh ! si, je le sais ! s'exclama-t-elle en reculant d'un nouveau pas. Je sais que tu as employé la menace et le chantage pour la convaincre de rentrer !

Le regard de la jeune femme se durcit.

— Je sais aussi que tu m'as joué la comédie pour que je me range de ton côté !

Il la considéra d'un air interloqué.

— Jouer la comédie ? Qu'entends-tu par là ?

Les joues de Tess s'embrasèrent.

— Tes façons charmeuses, tes mots doux, tes baisers, tout ça, c'était du pipeau !

Tandis qu'il la dévisageait, elle crut voir monter une vague rougeur à ses pommettes. Le remords, pensa-t-elle avec un regain de tristesse.

126

Puis, en quelques enjambées, il fut près d'elle. Il la prit par les épaules et la força à lui faire face.

— Tess…

Il soupira.

— J'admets que le premier soir, quand nous avons dîné ensemble, l'idée de t'utiliser pour parvenir à mes fins m'a traversé l'esprit…

En entendant confirmer les accusations de Gina, Tess ressentit un profond chagrin. Elle se détourna, ne souhaitant que se soustraire à sa vue alors qu'elle sentait les larmes perler à ses paupières.

— Mais, ma douce, je jure t'avoir embrassée par envie et non pour monter quelque sombre machination.

Son expression était si tendre, elle avait tant envie de le croire… c'en était effrayant.

— Ça ne change rien.

Cette fois, quand elle lutta pour se libérer, il la lâcha.

Elle tenait à cultiver sa colère, son dernier rempart contre la souffrance. Et elle désirait exciter celle de Tanner. Ce serait tellement plus simple s'ils se séparaient fâchés : les adieux en seraient moins cruels…

— Si tu veux savoir la vérité, hier soir, j'ai officiellement élevé Gina au rang de directrice adjointe et lui ai accordé une augmentation de salaire en conséquence.

Le regard de Tanner se chargea d'orage.

— Pourquoi as-tu fait ça ?

Tess alla se percher sur le bras du canapé.

— Parce qu'elle le mérite ! Depuis qu'elle travaille pour moi, elle a montré qu'elle était responsable et digne de confiance. Elle est intelligente, travailleuse, il est temps que tu la laisses tranquille.

Tanner fourragea nerveusement dans ses cheveux.

— Dans cette histoire, tu aurais pu t'allier avec moi.

— Désolée ! Tes baisers n'étaient pas assez convaincants pour me pousser à aller contre mes convictions.

Elle croisait et décroisait ses mains sur ses genoux, impatiente d'en finir avec cette conversation. Il fallait qu'il quitte l'appartement, sorte de sa vie avant que ses larmes ne se mettent à couler.

— Tu sais ce que je crois ?

Elle n'attendit pas sa réponse.

— Je crois que si tu tiens tant à ce que Gina rentre avec toi, c'est que tu as peur.

— Peur ? Et de quoi ? C'est complètement ridicule !

— Pas si ridicule que ça. Sans Gina, tu te retrouveras confronté à ta propre existence qui, selon ta sœur, n'est pas si satisfaisante que ça.

— Tu ignores de quoi tu parles ! s'exclama-t-il en avançant d'un pas.

Elle se raidit sans toutefois se laisser impressionner.

— Oh ! mais si. Tu as construit ton existence autour d'elle et tu crains, si tu la laisses partir, de te retrouver tout seul, sans rien ni personne pour remplir ta vie.

— Qu'en sais-tu ? demanda-t-il d'un ton coupant. Que sais-tu de l'amour porté à autrui, toi qui t'es si bien recroquevillée dans ta coquille que nul ne peut s'introduire dans ta petite vie si soigneusement organisée ? Tu es aussi malade que ta mère, ma pauvre enfant. Aussi incapable d'aimer !

Tess bondit du canapé.

— C'est faux !

— Tu m'as dit n'avoir eu aucune relation sérieuse. A vingt-huit ans, tu te réfugies dans ton travail. En leur vendant des affaires pour bébés, tu vis par procuration à travers des femmes qui ont une vie de famille, mais il n'est pas question de mettre ton cœur en danger !

— C'est faux ! Ce n'est pas parce que j'ai un tempérament indépendant que je ne veux pas fonder de famille ni que je suis incapable d'aimer !

Il sourit d'un air entendu.

— Si tu souhaites fonder une famille, tôt ou tard, il te faudra recourir aux services d'un homme.

— Tu te trompes d'époque ! riposta-t-elle. Pour tout dire, à l'heure où nous parlons, il se peut que je sois enceinte !

Il la considéra d'un air abasourdi.

— Je ne comprends pas… Comment est-ce possible ?

— Il y a un mois, j'ai été inséminée artificiellement.

Ces paroles tombèrent dans un silence de plomb. Devant son regard lourd de réprobation, elle détourna la tête. La colère qu'elle tentait désespérément d'alimenter céda, laissant place à un immense désarroi.

— Comment as-tu pu faire ça ? demanda-t-il d'une voix sourde. Comment as-tu pu condamner un enfant à n'avoir pas de père ?

Il s'approcha d'elle et la prit par les épaules, la forçant à le regarder. En plus de la réprobation, elle pouvait lire dans ses yeux une profonde tristesse.

— Tess, tu sais ce que c'est de grandir sans père, et moi, le mien me manquera jusqu'à la fin de mes jours. Comment peux-tu prendre la décision d'infliger sciemment ce traumatisme à un enfant ?

— Je comblerai tous ses besoins, déclara-t-elle en redressant le menton d'un air de défi. Il recevra tout l'amour que je n'ai pas eu.

— Ce bébé ne comblera pas le vide que ta mère a laissé dans ton cœur.

Il la lâcha et recula.

— J'éprouve une immense compassion pour toi et pour cet enfant.

— Sors ! intima-t-elle, incapable de contenir plus longtemps des larmes de rage. Je n'attends rien de toi, Tanner Rothman, surtout pas ta pitié !

— Rassure-toi, je m'en vais.

Il se dirigea vers la porte. Au moment de sortir, il se retourna.

— Une dernière chose, Tess. Tu ne combleras pas ton vide affectif tant que tu ne reconnaîtras pas avoir besoin d'autrui.

— J'ai aussi quelque chose à te dire ! répliqua-t-elle d'une voix vibrante de colère. Tu as élevé Gina à ton image ; tu l'as voulue forte et indépendante. Maintenant, assume ton éducation et laisse-la quitter le nid !

Durant un long moment, il la contempla. Dans son regard, elle vit passer un éclair de tendresse et dut lutter contre l'envie de se jeter dans ses bras, de lui avouer qu'elle avait déjà pris conscience de son vide intérieur et qu'elle avait désespérément besoin de lui.

Au lieu de ça, elle planta fermement son regard dans le sien. Pas question qu'il devine le chaos émotionnel qui l'agitait.

— Au revoir, Tanner.

Il saisit la poignée et, sans un regard en arrière, murmura un « au revoir » et sortit.

Tess eut l'impression que son cœur se brisait. Avec un cri de désespoir, elle s'abattit sur le canapé et éclata en sanglots. Elle n'avait pas cherché à tomber amoureuse ; elle n'en avait pas envie. Et pourtant, elle aimait Tanner. Et jusqu'à cet instant, elle n'avait pas compris avec quelle force elle désirait être assise dans son pick-up et rouler avec lui vers Foxrun.

Elle pleurait sur ce qui aurait pu être, et elle pleurait parce que, pour la première fois, elle doutait d'être capable de tout représenter pour l'enfant qu'elle portait peut-être.

Il fallut un quart d'heure à Tanner pour gagner le parking où il avait garé son véhicule en arrivant à Kansas City. En attendant que le gardien le lui récupère, il s'adossa au mur du bureau. L'air sentait le pneu, l'huile et la sueur mais ses pensées restaient entièrement tournées vers celle qu'il venait de quitter.

Il lui en voulait d'avoir semé le doute dans son esprit. Il racla l'asphalte du bout de sa botte, se demandant pourquoi les paroles sans concession de Tess l'avaient transpercé comme autant de vérités.

S'accrochait-il vraiment à Gina par crainte du vide que représenterait la vie sans elle ? Etait-ce sa préoccupation pour sa sœur qui l'avait conduit à Kansas City ou un besoin purement égoïste ? Il devait admettre que, d'une certaine manière, il était fier de voir Gina camper sur ses positions et refuser de se laisser entraîner là où elle ne voulait pas aller.

Il était fier de la façon dont elle avait résisté à son agresseur. Elle avait parfaitement réagi en passant la sangle de son sac autour de son cou de manière qu'on ne puisse le lui arracher facilement, en appelant à l'aide, en utilisant son arme de défense et en se rendant directement au poste de police. Elle n'aurait pu mieux gérer la situation.

Un crissement de pneus lui annonça l'arrivée de son pick-up. Quelques instants plus tard, après avoir réglé sa facture, il quittait le parking.

Il alluma la radio, espérant distraire le cours de ses pensées. Cependant, rien ne semblait pouvoir écarter Tess de son esprit.

Tess.

Son prénom éveillait de doux échos en lui. Le souvenir de son corps dans ses bras le torturait. Le bruit de son rire résonnait dans son cœur.

Il n'arrivait pas à croire qu'elle soit allée à de telles extrémités pour fonder une famille. Selon lui, l'insémination artificielle, c'était bon pour les femmes mariées qui ne pouvaient avoir d'enfants par la méthode normale. Mais la démarche de Tess était tout autre. Jamais Tanner ne comprendrait comment une femme célibataire en arrivait à ce choix de procréer seule.

Mais en quoi cela le regardait-il ? Tess était butée, et elle tenait plus énergiquement à son indépendance qu'à son bonheur.

« Comme toi », répliqua la petite voix de sa conscience. Rempli d'irritation, il monta le volume de la radio et emprunta la rampe d'accès à l'autoroute qui le mènerait droit vers l'ouest, à son foyer de Two Hearts.

Dans sa salle de bains, Tess sortit le test de grossesse de son sac. Ses doigts tremblaient en ouvrant la boîte pour en tirer matériel et instructions.

Elle lut rapidement ces dernières puis regarda son reflet dans le miroir. Ses yeux étaient gonflés des larmes versées le matin et sur son visage pâli se reflétaient les tourments d'un cœur brisé.

Tanner… Son prénom qui résonnait dans les moindres fibres de son être lui déchirait le cœur.

Pourquoi, oh ! pourquoi était-il entré dans sa vie pour lui donner un bref aperçu du paradis ? Pourquoi lui avoir montré tout ce dont elle se priverait en poursuivant son existence solitaire ?

Elle secoua la tête. Elle ne devait pas remuer ces souvenirs, se dit-elle en relisant une fois encore les instructions portées sur la boîte. Elle n'avait pas le droit de penser à lui.

Un mois plus tôt, elle ne rêvait que d'être enceinte. Pour parvenir à ses fins, elle avait choisi de recourir à l'insémination artificielle. A l'époque, cela lui semblait la meilleure décision possible ; à présent, elle n'en était plus aussi certaine.

Les paroles de Tanner avaient éveillé un douloureux écho en elle. Ce bébé qu'elle désirait tant était-il au fond destiné à combler le vide affectif creusé en elle par l'indifférence de sa mère ? S'il en était ainsi, c'était un bien lourd fardeau à poser sur ses épaules.

« Maudit sois-tu, Tanner Rothman ! », pensa-t-elle avec amertume. Avant son arrivée, elle était parfaitement heureuse et, à présent, sa vie lui semblait mortellement vide.

Un mois plus tôt, elle ne rêvait que d'être enceinte… Mais c'était avant de le rencontrer, lui. Avant de s'éprendre de lui et de se retrouver le cœur en miettes.

Elle relut une dernière fois les instructions. Elle avait acheté le test qui semblait le plus facile d'utilisation. En trois minutes, le signe « plus » ou « moins » devait s'inscrire sur son écran. « Plus » signifiait que l'insémination avait porté ses fruits, « moins » signait son échec.

Simple. Evident. Sauf que depuis sa rencontre avec Tanner, sa vie était devenue un tel écheveau de contradictions qu'elle n'était plus du tout sûre de savoir ce qu'elle voulait.

Elle se secoua. Inutile désormais de tergiverser. Elle prépara le test, le posa sur la tablette du lavabo et se prépara à attendre les trois minutes fatidiques.

Quelques secondes ne s'étaient pas écoulées que la sonnerie de la porte résonnait à travers l'appartement. Gina qui avait probablement oublié ses clés, se dit Tess. Ça lui arrivait souvent. Sur un dernier coup d'œil à l'écran, encore muet, elle alla ouvrir.

Son choc fut immense en découvrant Tanner dans l'encadrement de la porte.

— Nous avons à parler, décréta-t-il en entrant dans l'appartement sans y avoir été invité.

Il prit place sur le canapé et la regarda, dans l'expectative.

— Nous nous sommes tout dit, répliqua Tess d'un ton glacial.

— C'est peut-être le cas pour toi mais pas pour moi.

Il tapota le canapé près de lui.

— Viens.

Déchirée entre sa détermination à garder ses distances et son envie de s'asseoir près de lui, Tess croisa les bras sur sa poitrine.

— Si tu as l'intention de me faire la morale, tu peux repartir d'où tu viens ! prévint-elle.

Cependant, incapable de rester une seconde en place, elle se mit à arpenter la moquette.

— Que tu sois un homme de traditions ne te donne pas tous les droits. Si tu savais combien ça m'est égal de savoir que tu me désapprouves !

— Je ne suis pas revenu te parler de ça.

Il changea de position sur le canapé et passa une main dans ses cheveux.

— En fin de compte, tu avais raison.

Elle s'immobilisa et le considéra avec surprise.

— A propos de quoi ?

— A propos du fait qu'il est temps de laisser Gina voler de ses propres ailes. Tu avais raison de dire que je l'avais voulue forte et indépendante et que, désormais, je devais m'effacer.

Il se leva.

— Bien sûr, ça ne veut pas dire que je cesserai de me faire du souci pour elle ni que je sortirai de son existence…

— Je suis heureuse que tu en aies pris conscience, Tanner, mais tu n'avais pas besoin de revenir me dire ça.

Sa vue ravivait de façon insupportable sa peine. Pourquoi était-il revenu ? Avait-il idée de la torture que représentaient pour elle ces retrouvailles ?

— Bon sang, Tess ! s'exclama-t-il, la faisant tressaillir.

Il fourragea de nouveau dans ses cheveux puis avança vers elle.

— Je ne suis pas revenu te parler de Gina. J'étais déterminé à rouler vers Foxrun, vers ma vie !

— Pourquoi as-tu changé d'avis ?

Elle luttait contre des larmes qu'elle croyait avoir épuisées.

— Impossible ! s'exclama-t-il d'un ton irrité. J'ai essayé, j'ai mis la radio à fond et appuyé sur l'accélérateur, droit vers l'ouest, mais ta pensée continuait de m'obséder.

Elle le regarda avec surprise.

— Que veux-tu dire ? demanda-t-elle d'une toute petite voix.

— Je veux dire que, par je ne sais quel miracle, tu as pris possession de moi.

Ses yeux s'étaient incroyablement assombris.

134

— Quand je respire, je sens ton parfum. J'entends ton rire résonner dans mes oreilles, j'éprouve la douceur de ta peau sous mes doigts…

Elle s'assit, craignant que ses jambes flageolantes ne la trahissent. Il prit place juste en face d'elle, son regard bleu toujours aussi intense.

— J'ignore comment c'est arrivé, dit-il d'un ton plein de rancune. Il s'agissait d'un simple voyage à Kansas City que j'avais entrepris dans le seul but de raisonner Gina. Mais dès l'instant où j'ai posé les yeux sur toi, plus rien n'a été simple.

Une douce chaleur envahit Tess. Gina s'était trompée ; Tanner ne l'avait pas embrassée avec l'arrière-pensée de s'en faire une alliée. Il ne l'avait pas tenue dans ses bras dans le seul but de chercher à l'influencer.

— Aussi fou que cela paraisse, au cours des quinze derniers jours, je suis tombé amoureux de toi. Et, pour être tout à fait honnête, cette idée me rend fou.

Il lui jeta un regard accusateur, comme s'il rejetait sur elle toute la faute de son désordre émotionnel.

Il l'aimait ! La joie de Tess se trouvait cependant tempérée par l'étrangeté de la remarque de Tanner.

— Fou ? Et pourquoi ?

— Parce que ta vie est ici. Tu m'as bien expliqué que tu n'avais pas besoin de moi ni de personne.

Sa voix se cassa et, dans son regard, Tess lut le reflet de son propre désarroi.

Sans cesser de la regarder, il enfouit ses mains dans ses poches.

— J'ignore tes sentiments vis-à-vis de moi ; une seule chose est sûre : il est inutile que je te demande de m'épouser ou de venir vivre avec moi au Two Hearts.

Tess avait souffert quand il était parti et qu'elle se figurait avoir été manipulée. Mais l'amour qui brillait maintenant dans le regard de Tanner lui causait un chagrin presque pire. Une part d'elle-même souhaitait passionnément répondre à son amour, envisager l'avenir qu'il lui proposait, mais une autre se débattait dans les affres de l'angoisse.

Ces émotions contradictoires amenèrent des larmes dans ses yeux. A sa joie d'être aimée se mêlait un amer désespoir. Renoncer à tous ses projets au seul bénéfice de l'amour, ne serait-ce pas se résigner à devenir comme sa mère ?

Ses larmes se mirent à couler.

— Tess ?

Tanner vint s'agenouiller devant elle et lui prit la main.

— Pourquoi pleures-tu ?

Elle pressa très fort ses paupières l'une contre l'autre. Elle ne voulait pas le regarder, elle ne voulait pas voir luire dans son regard les promesses de bonheur auxquelles elle renonçait.

— Je pleure parce que je t'aime aussi, parvint-elle à dire entre deux hoquets. Et que mon désir de devenir ta femme et de vivre au Two Hearts est si fort qu'il m'épouvante.

Quand il la souleva de son siège et la prit dans ses bras, elle ouvrit brusquement les yeux.

— Explique-moi ce qui te fait tellement peur.

Comment lui expliquer qu'elle redoutait de se perdre en lui, de renoncer à sa propre identité ?

Du bout des doigts, il essuya doucement ses larmes.

— Tess, je t'en prie, réponds-moi. Je t'aime et tu prétends m'aimer aussi. Alors, qu'est-ce qui te rend si malheureuse ?

Elle se dégagea de son étreinte.

— Ne vois-tu pas que rien n'est possible ? Si je t'épouse et que je pars vivre avec toi à Foxrun, je renie ma vie d'ici. Et je deviendrai exactement comme ma mère qui renonce à tout pour un homme.

— Tess…

Il la reprit dans ses bras.

136

— Tu es une des femmes les plus fortes et les plus indépendantes que je connaisse. Il n'est pas question que tu deviennes comme ta mère. J'admire ta force de caractère ; franchement, c'est cela aussi qui m'a séduit.

Il s'écarta. Sa frustration se lisait ouvertement sur son visage tendu.

— Jamais je ne te demanderai de renoncer à ce que tu as construit ici. Il existe certainement des solutions. En tout cas, je ne pourrais pas vivre sans toi...

Ces paroles, toutes simples, balayèrent les angoisses de Tess. Un tel amour ne laissait pas place aux craintes importunes.

— Demande-moi de t'épouser, Tanner, et de partir vivre avec toi au Two Hearts, pria-t-elle d'une voix tremblante d'émotion.

Il lui prit les mains.

— Epouse-moi, Tess, viens partager ma vie au ranch et fonder une famille avec moi. Si tu acceptes, tu feras de moi le plus heureux des hommes.

— Je le désire de toute mon âme.

De nouveau, les yeux de la jeune femme s'emplirent de larmes. Il l'attira à lui et l'embrassa.

Sous son baiser qui révélait une immense tendresse et un amour sincère, elle sut qu'elle avait pris la bonne décision.

Quand ils se séparèrent, il la guida vers le canapé où ils s'assirent côte à côte, les mains de Tess serrées dans celles de Tanner. Il plongea son regard dans le sien.

— Je sais combien tu t'es consacrée au succès de ta boutique, Tess...

Elle entendit le doute dans sa voix ; il s'inquiétait de savoir comment elle vivrait le fait de renoncer à ses projets.

Elle lui sourit, sûre d'elle-même et des choix qu'elle était en train de faire.

— Tu sais, Tanner, je connais une jeune femme douée, brillante et digne de confiance ; elle travaille pour moi. En un mois ou deux d'entraînement, je suis sûre qu'elle dirigera de main de maître la boutique.

— Tu crois vraiment qu'elle peut s'en sortir ?

— Sans aucun doute. Et tu disais que la population féminine de Foxrun ne songeait qu'au mariage. Avec la ribambelle de naissances que cela implique, Foxrun me paraît l'endroit idéal pour ouvrir une succursale de Petites Affaires pour bébé.

Il ouvrit la bouche mais elle le fit taire d'un geste.

— Je sais que tu aurais voulu une épouse plus conventionnelle, qui se consacre à son foyer, mais je…

— Chut…

Il l'embrassa tendrement.

— Je t'aime, Tess, et je te soutiendrai dans tes projets. Tout ce que je veux, c'est te rendre heureuse.

Tess n'avait jamais connu un pareil bonheur. Il la submergeait, l'émerveillait par toutes les promesses qu'il contenait. Brusquement, elle se souvint du test de grossesse et sa joie s'évanouit.

Tanner n'avait pas fait allusion à son insémination artificielle. L'aurait-il oubliée ? Elle lui retira ses mains.

— Tanner, as-tu oublié qu'il se pourrait que je sois enceinte ?

Elle retint sa respiration, glacée jusqu'à la moelle des os à l'idée de perdre le paradis entrevu.

Cependant, l'expression de Tanner conserva sa tendresse.

— Je n'ai pas oublié. Je continue de penser que si tu t'entêtes à élever seule cet enfant, à qui donc achètera-t-il d'affreuses cravates pour la fête des Pères ? Qui lui apprendra à pêcher ? Ce bébé fait partie de toi. Je t'aime et…

Le reste de sa phrase se perdit dans l'étreinte de Tess qui se jetait dans ses bras et l'embrassait fougueusement.

— Je venais de procéder à un test de grossesse quand tu as sonné, dit-elle.

— Et quel est le résultat ?

— Je n'en sais rien. Je suis allée t'ouvrir avant qu'il ne s'inscrive.

Il lui sourit avec indulgence.

— Dans ce cas, nous ferions bien d'aller voir.

Ils se levèrent ensemble du canapé et se dirigèrent vers la salle de bains. Le cœur de Tess cognait durement contre ses côtes. Elle doutait tellement de ce qu'elle désirait découvrir. Si auparavant elle avait désiré un enfant, à présent, elle désirait *un enfant de Tanner*.

Elle s'apprêtait à pénétrer dans la salle de bains quand Tanner lui prit la main et l'attira à lui.

— Avant de lire le résultat, je veux que tu saches une chose.

— Laquelle ?

Il lui caressa la joue et, sous son regard débordant d'amour, elle défaillit.

— Si tu es enceinte, j'aimerai cet enfant de tout mon cœur. Et si tu ne l'es pas, nous ferons en sorte que tu le sois dès que nous serons mariés.

La perspective de faire l'amour avec Tanner emplit Tess de trouble.

— C'est promis ?

Il eut ce lent sourire plein de séduction qui lui plaisait tant.

— Oh ! oui. A vrai dire, pour ma part, je n'attendrai pas une minute de plus pour m'acquitter de ma promesse !

Tout le corps de la jeune femme s'embrasa sous le regard enflammé dont il la couvait.

Après une dernière pression sur sa main, elle entra dans la salle de bains et regarda le test.

« Plus », elle était enceinte, « moins »…

Le signe « moins » lui adressa un clin d'œil. Elle se tourna vers Tanner qui l'attendait à la porte.

— Je ne suis pas enceinte.

— Oh ! chérie, tu dois être tellement déçue…

Elle rit en se blottissant dans ses bras.

— Déçue ? Comment pourrais- je être déçue de concevoir mon premier bébé avec celui que j'aime ?

— Je t'aime, Tess, chuchota-t-il à son oreille.

Puis il l'embrassa et ce baiser contenait toutes les promesses d'un avenir que Tess n'aurait jamais eu l'audace d'envisager pour elle-même.

Épilogue

Tess se leva et s'examina dans le miroir sur pied du salon du centre communautaire de Foxrun. De l'autre côté de la porte, dans la grande salle, la ville entière semblait s'être donné rendez-vous pour célébrer son mariage avec Tanner.

Il y avait un peu plus d'un mois et demi qu'ils s'étaient avoué leur amour et cette période avait été la plus agitée de sa vie. Non seulement Tess avait initié Gina aux arcanes de la gestion d'entreprise mais, de plus, elle avait visité le ranch et écumé Foxrun pour dénicher l'emplacement idéal où implanter sa boutique.

Ç'avaient été des moments magiques. Chaque minute qui passait voyait grandir son amour pour Tanner. Et, dans quelques instants, elle deviendrait sa femme. A cette idée, un frisson d'extase la parcourut.

En entendant la porte s'ouvrir, elle se retourna. Elle sourit à la vue de Gina, resplendissante dans sa longue robe rose qui mettait en valeur sa carnation de brune.

— Oh ! Tess, tu es superbe ! Je suis si heureuse que tu aies opté pour une robe traditionnelle.

Tess sourit.

— Tanner a insisté en ce sens. Il a dit que, comme je ne me marierais qu'une fois, tout devait se dérouler dans les règles. Et tu sais comment est ton frère…

— Abominablement borné ! s'exclamèrent-elles en chœur.

Elles éclatèrent de rire.

— C'est triste que ta mère soit absente, fit remarquer Gina quand leur gaieté se tarit.

L'évocation de sa mère causa à Tess un pincement au cœur. Toutefois, sa souffrance s'était émoussée, remplacée par la pitié.

— Tant pis pour elle. Elle a toujours été insatisfaite, je ne puis rien y changer. De plus, j'ai maintenant une famille selon mon cœur, un foyer chaleureux et une ville que j'adore !

Gina vint étreindre Tess.

— Je suis si heureuse pour toi ! Et Tanner irradie le bonheur. Vous serez heureux ensemble, j'en suis sûre.

Un coup frappé à la porte leur fit tourner la tête.

— Entrez, dit Tess.

Bailey Jenkins, vétérinaire de la ville et grand ami de Tanner, passa la tête par l'entrebâillement de la porte.

— Tout le monde est prêt. On n'attend plus que la mariée !

— Nous arrivons ! s'exclama Gina.

Elle se tourna vers Tess.

— Es-tu prête ?

Sur un hochement de tête, Tess prit une profonde inspiration et suivit son amie hors de la pièce. Les deux jeunes femmes longèrent le couloir jusqu'à la grande salle.

Une allée de pétales de roses attendait Tess, et au bout de l'allée se tenait Tanner.

Tandis que résonnaient les premiers accords de la *Marche nuptiale*, Gina et Bailey allèrent prendre place près du pasteur. De son côté, Tess n'avait d'yeux que pour celui qui, dans quelques instants, deviendrait son époux.

Elle le trouvait terriblement séduisant dans son smoking, et le tendre sourire qui jouait sur ses lèvres fit battre plus vite son cœur.

Elle remonta lentement l'allée de roses, son regard rivé à celui de Tanner. A mi-chemin, elle accéléra le pas pour finir par courir vers le beau cow-boy, aimant et « abominablement borné », qui lui avait ouvert les portes de l'amour.

Le nouveau visage
de la collection Or

◆

AMOURS D'AUJOURD'HUI

Afin de mieux exprimer sa modernité et de vous séduire encore davantage, votre collection Or a changé de couverture et de nom depuis le 1er mars 1995.

Rassurez-vous, les romans, eux, ne changent pas, et vous pourrez retrouver dans la collection **Amours d'Aujourd'hui** tous vos auteurs préférés.

Comme chaque mois, en effet, vous y attendent des héros d'aujourd'hui, aux prises avec des passions fortes et des situations difficiles...

**COLLECTION
AMOURS D'AUJOURD'HUI :**
Quand l'amour guérit des blessures de la vie...

Chère lectrice,

Vous nous êtes fidèle depuis longtemps?
Vous venez de faire notre connaissance?

C'est pour votre plaisir que nous avons
imaginé un rendez-vous chaque mois
avec vos auteurs préférés, vos
AUTEURS VEDETTE dans les
collections Azur et Horizon.

Les **AUTEURS VEDETTE** vous
donneront rendez-vous pour de
nouveaux livres vedette.

Pour les reconnaître, cherchez
l'étoile... Elle vous guidera!

Éditions Harlequin

HARLEQUIN

LE FORUM DES LECTEURS ET LECTRICES

CHERS(ES) LECTEURS ET LECTRICES,

VOUS NOUS ETES FIDÈLES DEPUIS LONGTEMPS?

VOUS VENEZ DE FAIRE NOTRE CONNAISSANCE?

SI VOUS AVEZ DES COMMENTAIRES, DES CRITIQUES À
FORMULER, DES SUGGESTIONS À OFFRIR, N'HÉSITEZ
PAS… ÉCRIVEZ-NOUS À:

> LES ENTERPRISES HARLEQUIN LTÉE.
> 498 RUE ODILE
> FABREVILLE, LAVAL, QUÉBEC.
> H7R 5X1

C'EST AVEC VOS PRÉCIEUX COMMENTAIRES QUE NOUS
ALLONS POUVOIR MIEUX VOUS SERVIR.

DE PLUS, SI VOUS DÉSIREZ RECEVOIR UNE OU
PLUSIEURS DE VOS SÉRIES HARLEQUIN PRÉFÉRÉE(S)
À VOTRE DOMICILE, NE TARDEZ PAS À CONTACTER LE
SERVICE D'ABONNEMENT; EN APPELANT AU
(514) 875-4444 (RÉGION DE MONTRÉAL) OU 1-800-667-4444
(EXTÉRIEUR DE MONTRÉAL) OU TÉLÉCOPIEUR
(514) 523-4444 OU COURRIER ELECTRONIQUE:
AQCOURRIER@ABONNEMENT.QC.CA OU EN ÉCRIVANT À:

> ABONNEMENT QUÉBEC
> 525 RUE LOUIS-PASTEUR
> BOUCHERVILLE, QUÉBEC
> J4B 8E7

MERCI, À L'AVANCE, DE VOTRE COOPÉRATION.

BONNE LECTURE.

HARLEQUIN.

VOTRE PASSEPORT POUR LE MONDE DE L'AMOUR.

ROUGE PASSION

De fiévreuses histoires d'amour sensuelles!

De provocantes histoires d'amour passionnées et romantiques qu'on lit d'une seule traite. Aventureuses, parfois humoristiques, et sensuelles, elles mettent en vedette des hommes et des femmes d'aujourd'hui.

**ROUGE PASSION...
trois nouveaux titres
chaque mois.**